Nuevo

¡Bravo, bravo!

PUENTES - WORKBOOK

Nombre y apellido ______________________________

Dirección ______________________________

Teléfono ______________________________

Escuela ______________________________

Maestra o maestro ______________________________

Santillana USA

Published in the United States of America.

Puentes Workbook
ISBN: 1–59437–357–4

Illustrations: Andrea Ksiazek
Design and Layout: Alejandra Mosconi and Cristina Hiraldo

Cover: Wooden bridge spanning Lake Yelcho, Patagonia, Chile
© Macduff Everton/Corbis COVER; inset art by Andrea Ksiazek.
Cover Design: Noreen T. Shimano

Santillana USA Publishing Company, Inc.
2105 NW 86th Avenue, Miami, FL 33122

Printed in Colombia by Quebecor World Bogotá S.A.

10 09 08 07 06 3 4 5 6 7 8 9 10

Contenido

Yo aquí, tú allí

Canción de todos los niños del mundo

A. El narrador del poema en la página 2 de tu libro es un niño o una niña que se dirige a otro niño o niña. Completa la tabla, anotando los parecidos y las diferencias entre los dos.

Parecidos	Diferencias
______________________	______________________
______________________	______________________
______________________	______________________
______________________	______________________

B. Marca con una X si la oración es *Verdadera* o *Falsa*, según tu interpretación del poema en las páginas 2–3 de tu libro.

	V	F
1. El niño o niña a quien el narrador se dirige vive en otro país.	☐	☐
2. Donde todos viven es verano.	☐	☐
3. Aunque no hablen la misma lengua, los niños se entienden.	☐	☐
4. Los niños no pueden dormir cuando sale el sol.	☐	☐
5. El niño o niña a quien el narrador se dirige también va a la escuela.	☐	☐
6. Todos los niños del mundo pueden ser amigos.	☐	☐

Los países del mundo hispano

A. Usa el mapa de la página anterior y elige la(s) palabra(s) para completar la oración. Luego escribe la oración completa.

1. México y Guatemala son países ______________.
   (vecinos / cercanos / lejanos)

   ____

2. Colombia está en ______________.
   (Norteamérica / Centroamérica / Sudamérica)

   ____

3. Cuba es la isla más ______________ del Caribe.
   (pequeña / grande / chiquita)

   ____

4. Argentina es el país que está ______________.
   (más al este / más al sur / más al oeste)

   ____

5. Bolivia es un país que no tiene ______________.
   (ríos / costas / vecinos)

   ____

6. España está en ______________. (África / Asia / Europa)

   ____

B. Escribe la nacionalidad de cada persona.

1. Julieta nació en Puerto Rico. Ella es ______________.
2. Anita nació en Costa Rica. Ella es ______________.
3. Nelson nació en México. Él es ______________.
4. La mamá de Jackie nació en Cuba. Ella es ______________.

Clases de palabras; la concordancia

A. Subraya todos los sustantivos y rodea con un círculo todos los verbos en el siguiente párrafo:

Patrick es estadounidense. Nació en Atlanta. Estudia español y quiere visitar Puerto Rico con su mejor amigo, Eduardo. Los abuelos de él son puertorriqueños y tienen una casa que está en una linda playa.

B. Completa la lista de las cosas que quiere Tomás. Usa la forma correcta del adjetivo *nuevo*.

	Masculino	Femenino
Singular	nuevo	nueva
Plural	nuevos	nuevas

Tomás quiere...

1. una mochila ______________ para la escuela.
2. un abrigo ______________ para el invierno.
3. botas ______________ para la lluvia.
4. zapatos ______________ para el gimnasio.

C. Completa lo que Anita dice. Usa la forma correcta del adjetivo *inteligente*.

	Masculino	Femenino
Singular	inteligente	inteligente
Plural	inteligentes	inteligentes

Anita dice...

1. que su maestra de español es ______________.
2. que sus amigas también son ______________.
3. que su perro no es ______________.

Los mensajes de Tacuarembó

A. Completa el esquema para resumir la historia en las páginas 8–9 de tu libro. Después usa tu esquema para contar la historia.

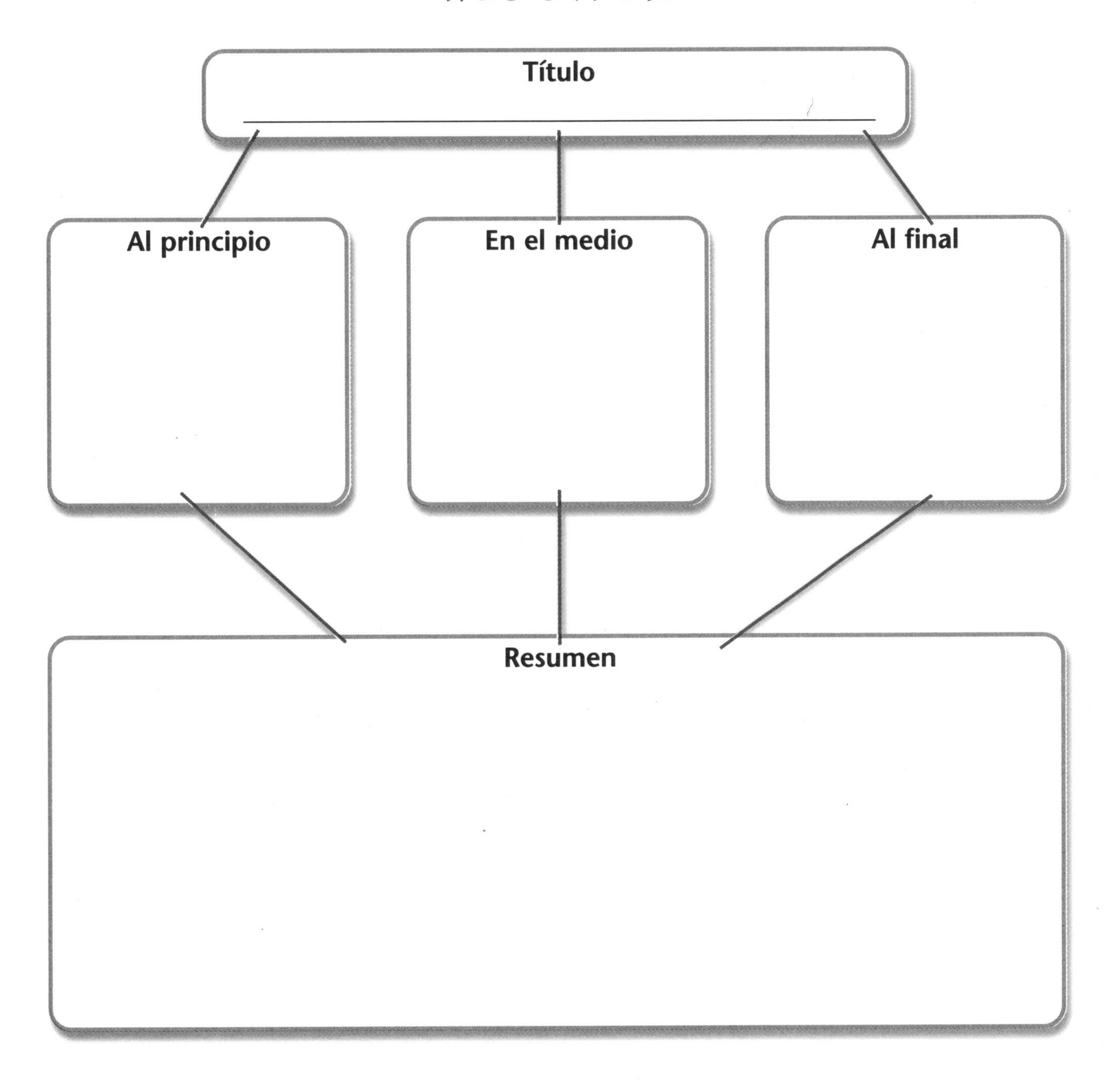

¿Qué aprendiste?

A. Completa cada poema con adjetivos de nacionalidad. Para cada uno, usa el adjetivo correcto que rime con el primer verso.

1. Estuve toda la mañana
pensando en un lugar
de mi país Venezuela,
pues yo soy ____________.

2. Todos me dicen Lola
porque me llamo Dolores.
Nací en un país de Europa.
Yo soy ____________.

3. Soy de un país pequeño,
de un país con un canal.
Me llamo Gustavo
y yo soy ____________.

4. Quiero que pienses de
dónde somos. Nacimos
en Kansas y somos
____________.

B. Une las palabras de la izquierda con el adjetivo correcto. Luego completa cada oración.

	niña	azules
	nubes	pequeño
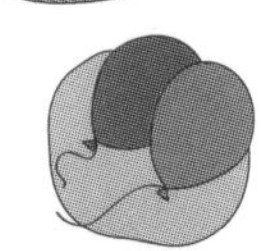	globos	abierta
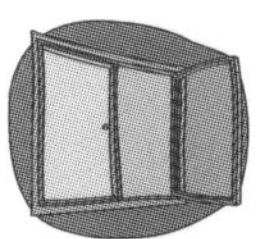	ventana	blancas
	carro	enferma

1. Una niña ____________.
2. Unas nubes ____________.
3. Unos globos ____________.
4. Una ventana ____________.
5. Un carro ____________.

Agua va, agua viene

Cómo conservar el agua

A. Marca con una X si la oración es *Verdadera* o *Falsa*, según la información en las páginas 14–15.

	V	F
1. Cuando llueve, todo se seca.	☐	☐
2. No es fácil conservar el agua.	☐	☐
3. Todos necesitamos el agua para vivir.	☐	☐
4. Debes dejar correr el agua cuando te cepillas los dientes.	☐	☐
5. El agua de las nubes riega los prados.	☐	☐
6. Puedes recoger el agua de la lluvia.	☐	☐
7. Debes pasar más de diez minutos bajo la ducha.	☐	☐
8. Todos debemos conservar el agua.	☐	☐

B. Une las frases de la izquierda con la opción correcta para completar cada oración.

1. No pases más de cinco minutos	para recoger el agua de la lluvia.
2. Dile a tu papá que	bajo la ducha.
3. El agua de las nubes llena	las llaves de los grifos.
4. Cierra bien	no la dejes correr.
5. Pon una cubeta afuera	los ríos, los mares y los lagos.
6. Agua que no vas a beber,	no deje correr el agua cuando se rasura.

El agua

A. Completa las oraciones con la palabra correcta.

evaporación	solidificación	fusión	condensación

1. Cuando el agua líquida se enfría, hay ______________.
2. Cuando el vapor de agua se enfría, hay ______________.
3. Cuando el agua líquida se calienta, hay ______________.
4. Cuando el hielo se derrite, hay ______________.

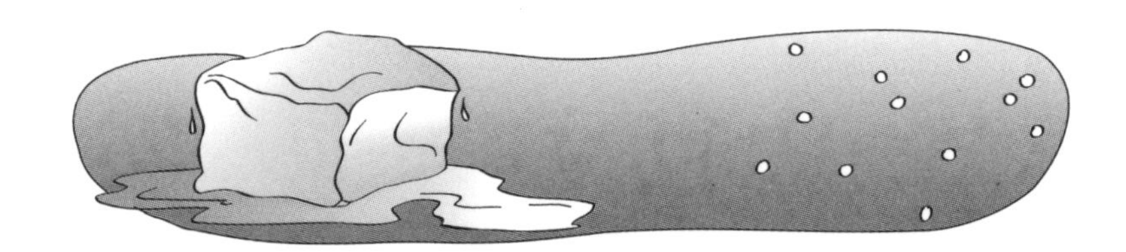

B. Completa con el equivalente en español. No olvides el acento ortográfico.

inglés	español
education	______________
conversation	______________
organization	______________
fusion	______________
condensation	______________
celebration	______________
introduction	______________

C. Completa el mapa semántico usando los términos dentro de la gota de agua.

gaseoso	el océano y los mares	lavar
líquido	el río	beber
sólido	el lago	bañarse

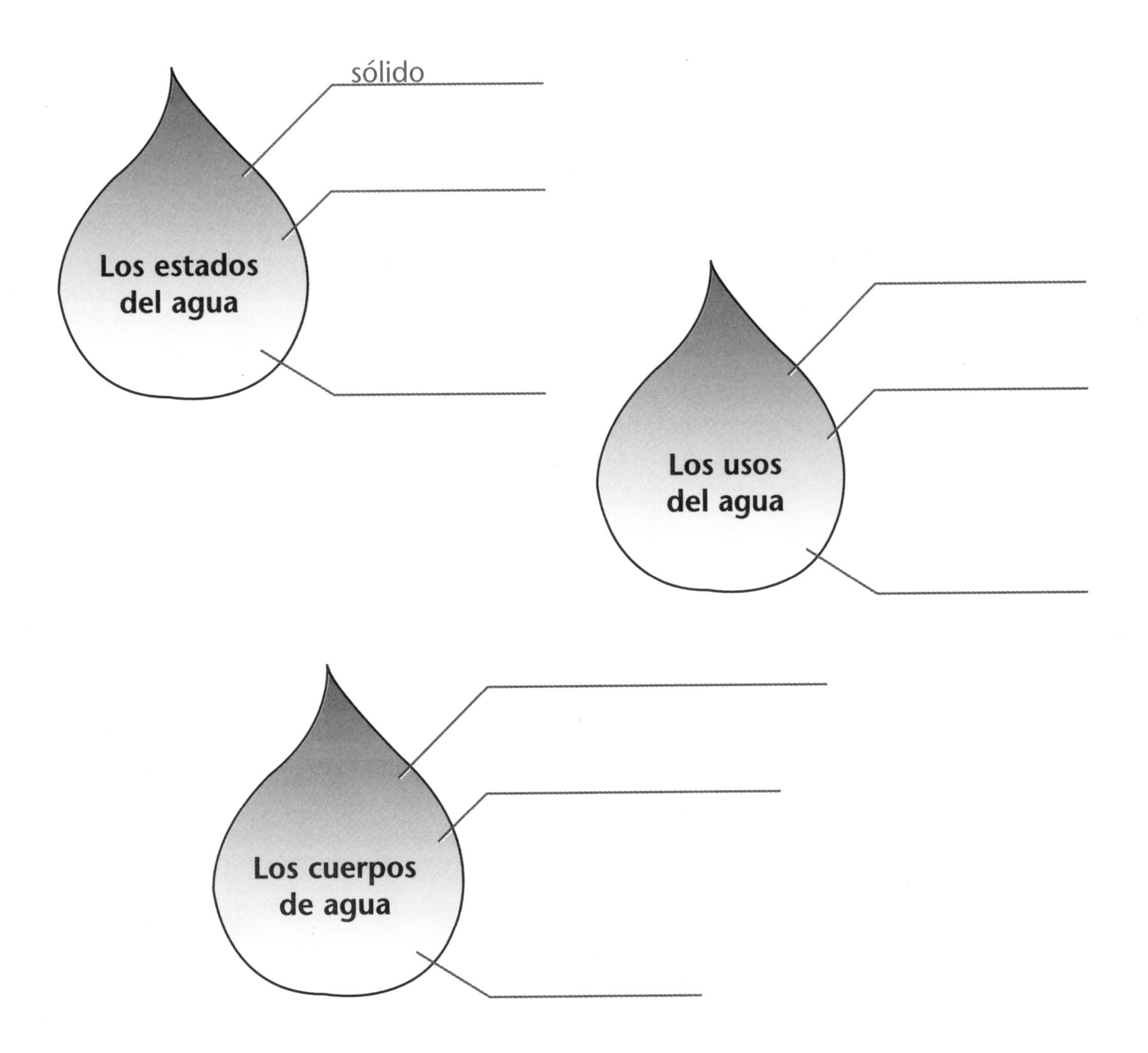

El infinitivo; las formas verbales

A. Rodea con un círculo la forma correcta del infinitivo del verbo.

1. A la niña le gusta	come comen comer	fresas.
2. Me gusta	estudiar estudio estudias	el ciclo del agua.
3. Voy a	compraste compro comprar	un libro.
4. A Pablo le gusta	hacen hacer hacemos	la comida.

B. Completa cada oración con la forma correcta del verbo *comprar*.

1. (ayer) Yo ____________________ un libro.
2. (mañana) Tú ____________________ la comida en el mercado.
3. (todos los días) Ella ____________________ el periódico.

C. Completa cada oración con la forma correcta del verbo *salir*.

1. (ayer) Ellos ____________________ a las ocho de la mañana.
2. (hoy) Nosotros ____________________ para ir a la escuela.
3. (mañana) Yo ____________________ con mis primas.

¡Ay, cuánto viajo!

A. Completa el esquema para resumir la historia en las páginas 20–21 de tu libro.

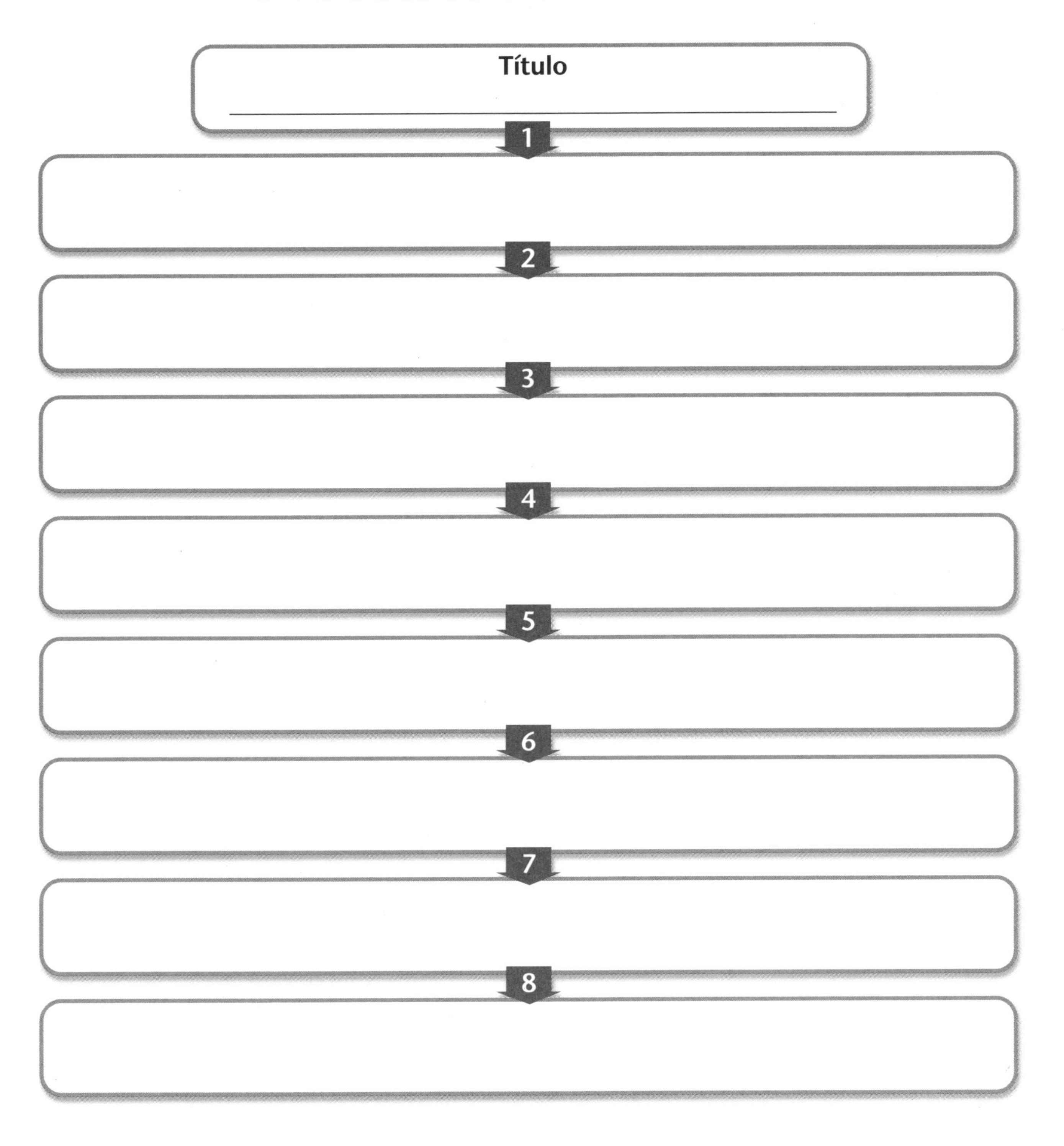

¿Qué aprendiste?

A. Busca las palabras de la lista en la sopa de letras.

G	O	I	Z	I	H	T	P	B	J	B	W	G	B	O	R	N
S	Z	P	M	C	O	N	S	E	R	V	A	R	V	U	T	I
U	R	S	W	A	V	I	Z	Q	O	Q	R	T	D	X	A	E
V	U	J	E	T	B	D	T	Y	B	L	U	G	R	R	K	V
A	B	R	M	A	N	G	U	E	R	A	V	D	T	S	O	E
R	P	C	A	R	T	R	X	D	C	G	A	I	A	Y	W	S
O	L	T	K	A	R	L	I	O	Q	O	W	E	C	C	V	A
I	Z	J	E	T	O	U	O	A	E	T	C	H	Y	K	K	B
B	Y	O	L	A	V	A	R	Y	O	A	I	K	V	C	P	C
X	U	A	G	S	U	O	O	B	A	A	G	U	J	E	R	O
R	H	A	C	H	O	L	N	Q	G	N	P	G	N	I	E	L
E	D	E	V	S	E	B	I	O	O	G	A	Z	G	L	S	I
G	P	B	A	D	J	T	P	T	C	C	U	B	E	T	A	B
R	K	U	A	A	U	J	R	S	U	L	M	E	N	U	B	U
V	R	C	A	Z	S	C	G	O	T	E	A	R	V	I	P	A
S	U	I	V	T	L	R	O	C	J	I	R	D	R	O	I	G
I	N	C	E	N	D	I	O	X	Y	T	E	V	O	N	P	U
H	R	L	Y	Z	V	C	V	A	E	I	S	T	G	R	V	A

presa
gotear
incendio
nieve
mares
conservar
lago
manguera
agua
cataratas
agujero
lavar

Deportes

Las reglas del fútbol

A. Marca con una X si la oración es *Verdadera* o *Falsa*, según la información de la historia en las páginas 26–27 de tu libro.

	V	F
1. Un gol se anota cuando uno de los equipos mete la pelota en la portería contraria.	☐	☐
2. Un partido de fútbol dura unos 95 minutos.	☐	☐
3. Juegan dos equipos de doce jugadores cada uno.	☐	☐
4. El árbitro es un jugador del equipo.	☐	☐
5. Se juega fútbol en un campo de césped.	☐	☐
6. Si hay empate al final del partido, se juega 10 minutos más.	☐	☐
7. El referí no es uno de los jueces de línea.	☐	☐

B. Rodea con un círculo la pregunta que corresponda a cada respuesta.

1. ¿Quiénes juegan? / ¿Cómo se juega?
   Dos equipos de once jugadores cada uno.
2. ¿Cuánto dura un partido? / ¿Quién dirige el partido?
   90 minutos.
3. ¿Cómo se anota un gol? / ¿Dónde se juega?
   En un campo de césped o tierra.
4. ¿Dónde se juega? / ¿Cómo se juega?
   Los jugadores mueven la pelota para tratar de anotar goles.

Deportes y deportistas

A. Une la(s) palabra(s) en la columna de la izquierda con la(s) palabra(s) en la columna de la derecha.

1. referí y árbitro	once jugadores
2. campo	ganar puntos
3. equipo	juego entre dos equipos
4. partido	jueces
5. anotar	área de juego

B. Marca con una X las definiciones que correspondan a las palabras de la izquierda.

1. empate
   - [ ] cuando hay mucha tierra en el campo
   - [X] cuando ambos equipos han anotado el mismo número de goles
   - [ ] el primer gol

2. partido
   - [ ] el grupo de once jugadores
   - [ ] el área de juego marcada con líneas blancas
   - [X] un juego completo de 90 minutos

3. portería
   - [X] el lugar donde se meten los goles
   - [ ] el juego entre dos equipos
   - [ ] el campo rectangular

4. césped
   - [ ] árbitro
   - [X] zacate
   - [ ] línea blanca

C. Completa los ejercicios con la palabra apropiada acerca de los deportes.

Ejemplo: Ana practica la natación. Es nadadora.

1. A Gabriel le gusta jugar al tenis. Es ______________.
2. María Teresa juega al básquetbol. Es ______________.
3. Una muchacha que le gusta jugar al béisbol es ______________.
4. Una persona que hace gimnasia es ______________.

D. Rodea con un círculo el deporte que mejor describe el dibujo.

1. la gimnasia   el fútbol   la natación   el esquí

2. la natación   gimnasia   el básquetbol   el tenis

Verbos con cambios en la raíz: *o* → *ue* y *e* → *ie*

A. Completa las oraciones con el verbo correcto.

pierda	recuerda	entiendo
encuentran	cuentan	encontraste

1. Es una lástima que mi equipo siempre ____________ los partidos.
2. ¡Yo no ____________ esta lección de ciencias!
3. Los muchachos casi nunca ____________ un asiento.
4. Vamos a ver si Patricia ____________ la respuesta.
5. ¿Dónde ____________ las instrucciones ayer?
6. Algunos maestros ____________ historias muy interesantes.

B. Rodea con un círculo la forma verbal correcta, según la oración.

1. Mi equipo nunca (perdieron / pierde) los partidos.
2. Marta no (entiende / entendieron) lo que dice el referí.
3. ¿Tú (recuerdas / recordé) cuánto tiempo dura un partido de fútbol?
4. Rosa me (contó / cuentas) un chiste muy bueno.

Un nuevo amigo

A. Completa el esquema para resumir la historia en las páginas 32–33 de tu libro.

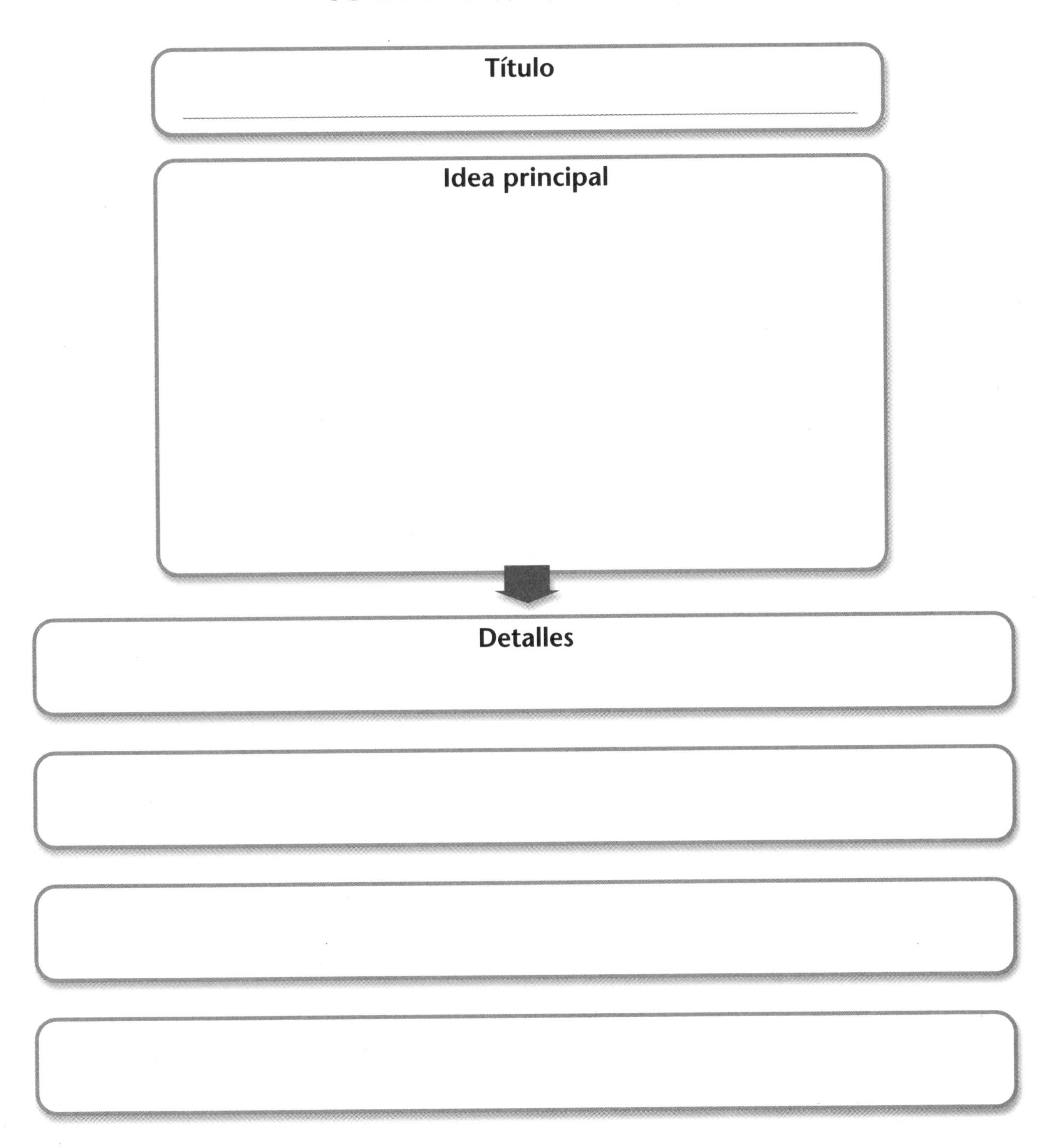

¿Qué aprendiste?

A. Completa el crucigrama acerca de la lectura en las páginas 32–33 de tu texto.

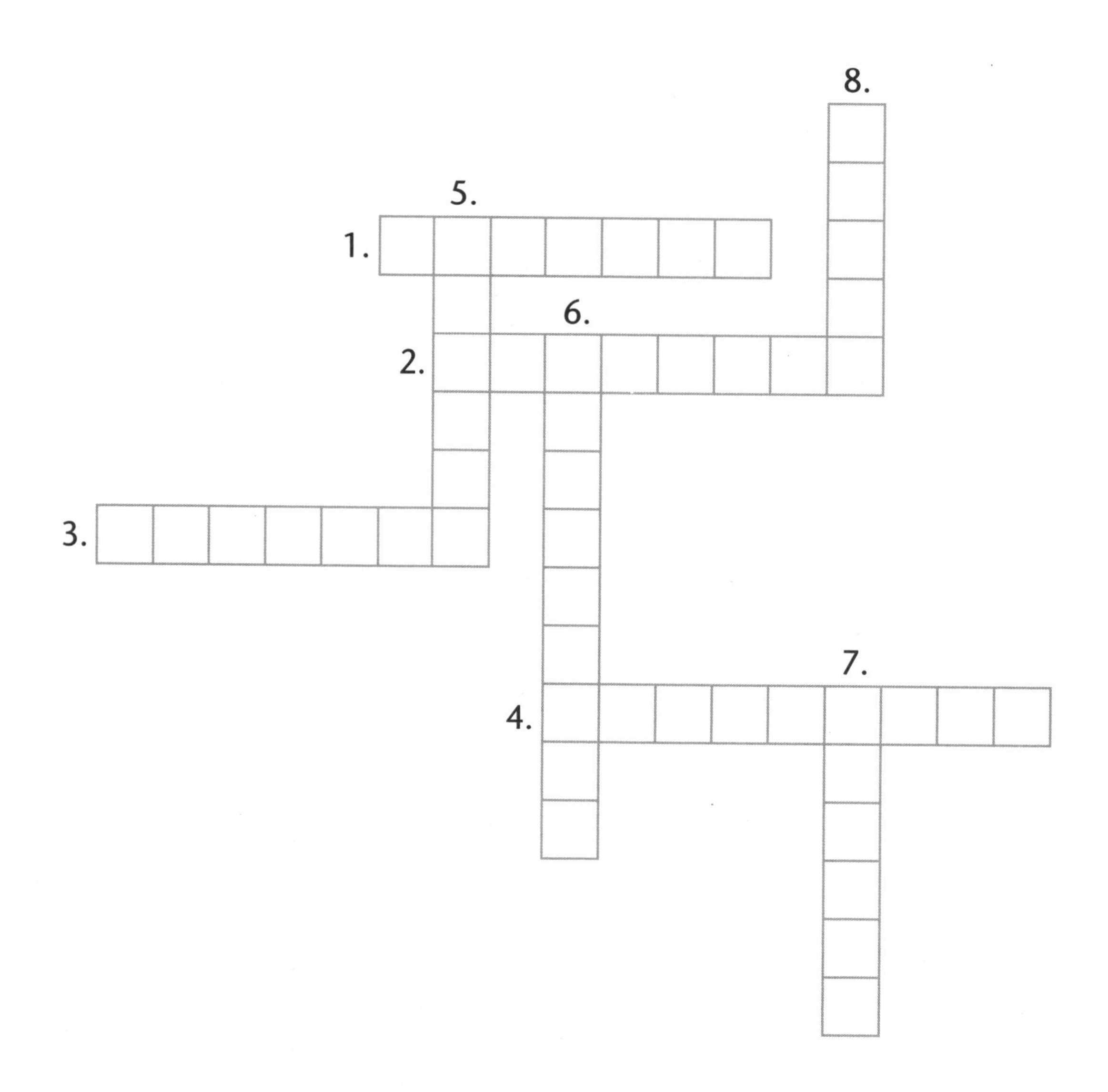

HORIZONTALES

1. pelotas para el fútbol
2. dar movimiento
3. jugador que guarda la portería
4. dan soporte

VERTICALES

5. sentirse mejor
6. no tener movimiento de una parte del cuerpo
7. el grupo de 11 jugadores
8. el número tres es ____________.

Vecinos reales e imaginarios

Aviso clasificado

A. Rodea con un círculo la respuesta correcta para cada oración y luego escribe la respuesta en el espacio indicado.

1. Tras una de las ventanas, el sol ______________________.
   a. danza
   b. arde el año entero
   c. es mago

2. Tras otra ventana, llueve ______________________.
   a. de diciembre a enero
   b. con ganas
   c. toda la semana

3. Por la última ventana ______________________.
   a. entre el mundo
   b. veo tu carita
   c. abran los paisajes

4. La señora busca ______________________.
   a. una pecera
   b. la quinta ventana
   c. una casita de cinco ventanas

B. ¿Significan lo mismo? Marca con una X *Sí* o *No*.

	Sí	**No**
1. Cuando llueve, todo se seca.	☐	☐
1. paisajes y vistas	☐	☐
2. amplia y pequeña	☐	☐
3. mundo y mago	☐	☐
4. tras y detrás	☐	☐

Direcciones

A. Completa el esquema con la información en la página 40 de tu libro.

Datos	Joaquín Aldana	Luisa Fernanda Oliva	María Isabel Martínez	Carmen Rosa Hidalgo
Calle				
Nombre del barrio	______			______
Ciudad				
País				
Código Postal				

B. Encierra en un círculo la forma correcta de cada verbo.

1. beber veber
2. labar lavar
3. olbidar olvidar
4. viajar biajar
5. vuscar buscar
6. subir suvir
7. havlar hablar
8. recivir recibir
9. deber dever
10. levantar lebantar

El pretérito imperfecto

A. Rodea con un círculo el verbo que está en el préterito imperfecto.

1. Ahora vivo en Florida, pero antes vivía en México.
2. Las muchachas comían pizza todos los miércoles.
3. Durante su primer año, el bebé dormía muy poco.
4. Mi amiga y yo hablábamos cada domingo.
5. Sara y Bárbara hacían su tarea en la biblioteca.
6. Las señoras siempre lloraban al oír esa historia.

B. Completa la oración con la forma correcta del pretérito imperfecto del verbo *comer.*

Comer			
(yo)	**comía**	(nosotros, –as)	**comíamos**
(tú)	**comías**	(ellos, ellas)	**comían**
(él, ella)	**comía**	(ustedes)	**comían**

1. Pablo ____________ fruta todos los días.
2. ¿Dónde ____________ ustedes?
3. Ella y yo siempre ____________ ensaladas y tortas.
4. ¿Cuántas veces ____________ tú en la casa de Marcos?
5. Muchas veces en México yo ____________ plátanos.

C. Escribe una oración con cada palabra del recuadro.

vivía	contaba	dormía	comíamos

1. ______________________________
2. ______________________________
3. ______________________________
4. ______________________________

D. Rodea con un círculo la forma correcta de cada verbo para completar la carta de Adela a su amiga, Mónica.

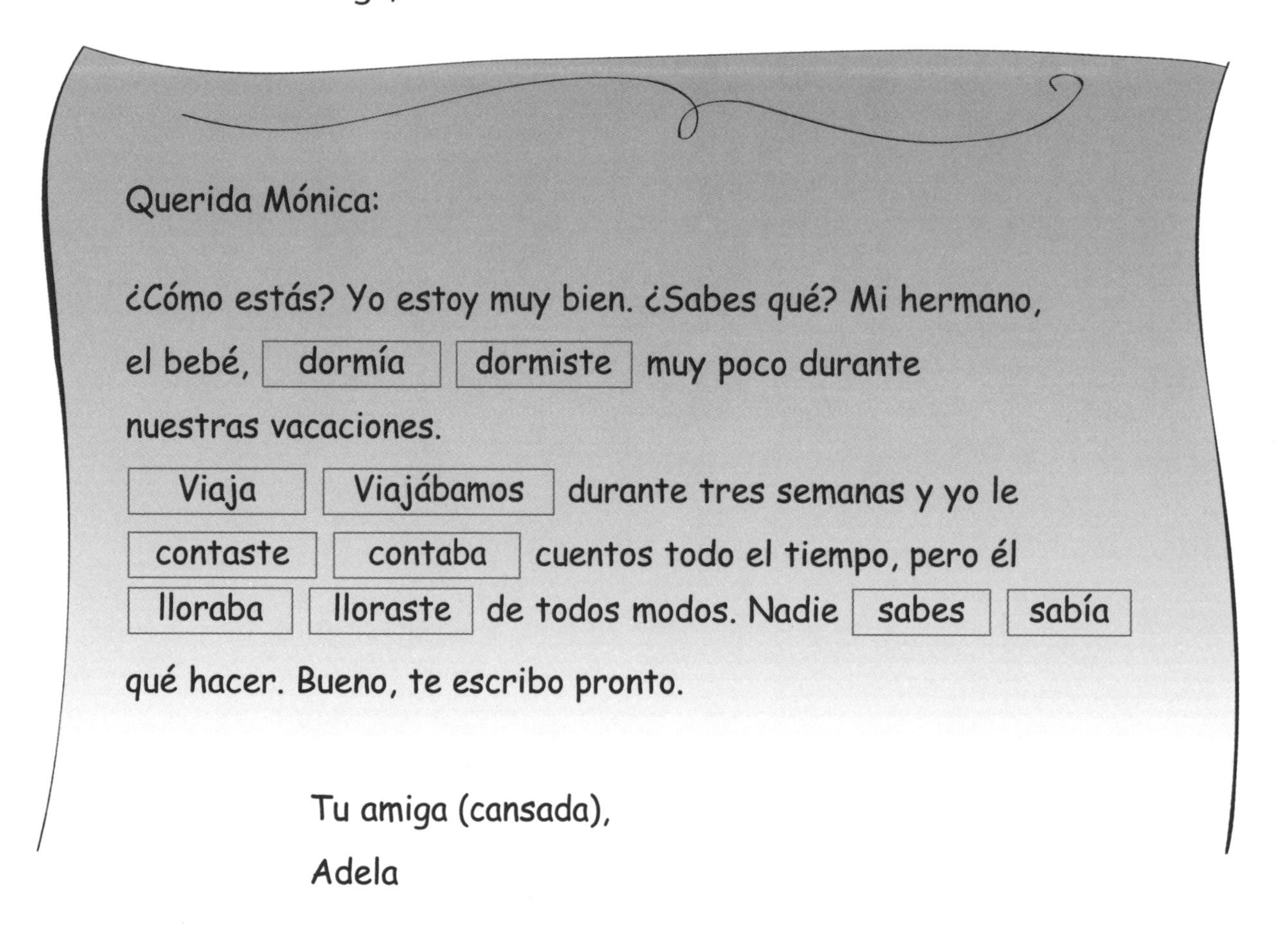
Querida Mónica:

¿Cómo estás? Yo estoy muy bien. ¿Sabes qué? Mi hermano, el bebé, [dormía] [dormiste] muy poco durante nuestras vacaciones.
[Viaja] [Viajábamos] durante tres semanas y yo le [contaste] [contaba] cuentos todo el tiempo, pero él [lloraba] [lloraste] de todos modos. Nadie [sabes] [sabía] qué hacer. Bueno, te escribo pronto.

Tu amiga (cansada),

Adela

Rongogongo y Sasal

A. Dibuja los siguientes eventos de la historia *Rongogongo y Sasal.*

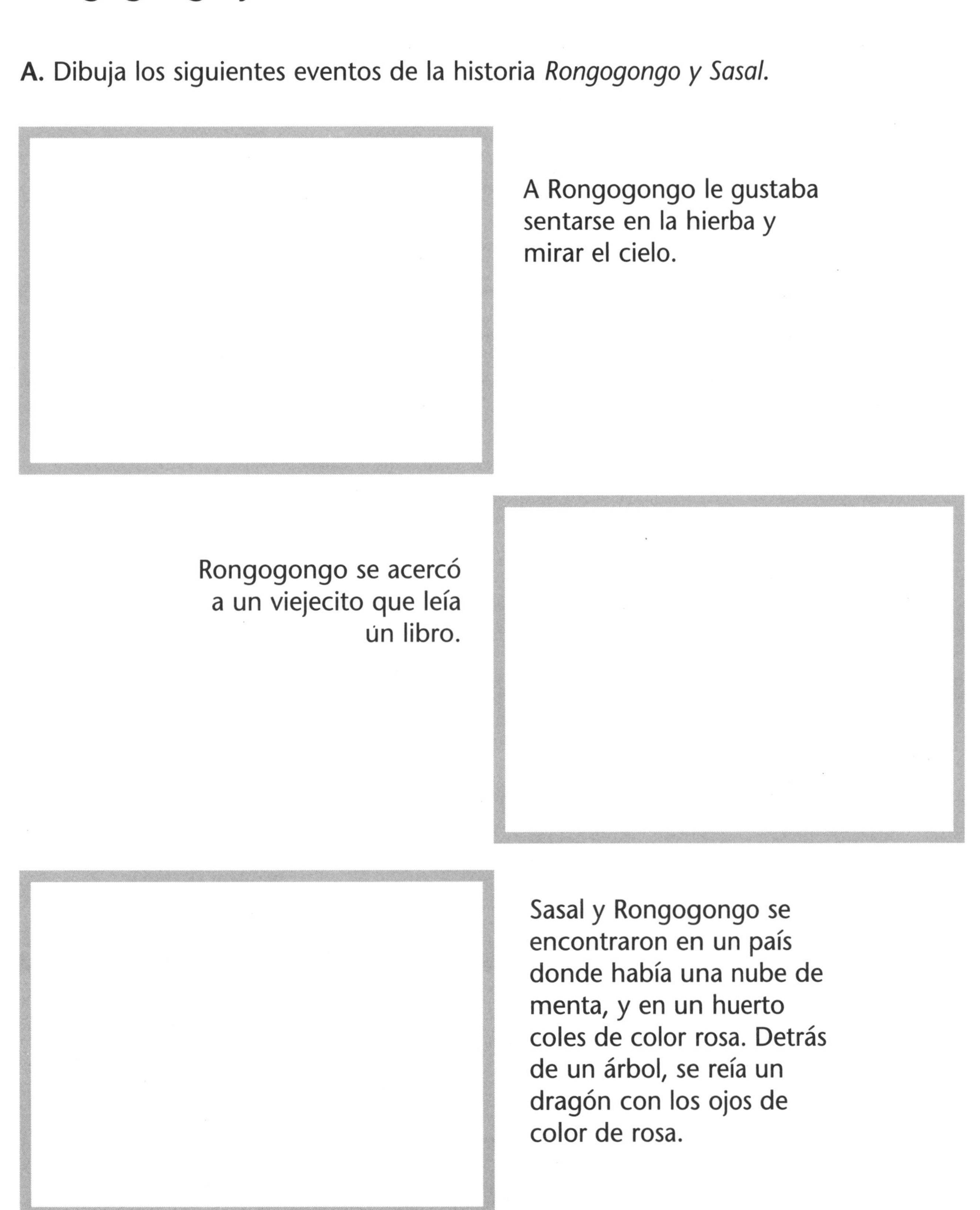

A Rongogongo le gustaba sentarse en la hierba y mirar el cielo.

Rongogongo se acercó a un viejecito que leía un libro.

Sasal y Rongogongo se encontraron en un país donde había una nube de menta, y en un huerto coles de color rosa. Detrás de un árbol, se reía un dragón con los ojos de color de rosa.

¿Qué aprendiste?

A. Sigue la pista y escribe las palabras del vocabulario de la historia *Rongogongo y Sasal,* en los espacios indicados.

1. muy calmado

☐☐☐☐☐☐☐☐☐☐

2. sumas y restas

☐☐☐☐☐☐☐

3.

☐☐☐☐☐

4. persona que tiene muchos años

☐☐☐☐☐☐☐

5.

☐☐☐☐ ☐☐☐☐☐☐☐☐

6. personas que viven en el mismo barrio

☐☐☐☐☐☐☐

7. color verde como la yerbabuena

☐☐☐☐☐

Conociendo nuestro cuerpo

Adivina, adivinador

A. Lee cada oración acerca de las adivinanzas en las páginas 50–51 de tu texto. Luego escribe *Cierto* o *Falso,* según la información que contiene.

	Cierto	Falso
1. Tus ojos son como ventanas.	______	______
2. Tu corazón es como una jirafa.	______	______
3. Puedes contar tu pelo.	______	______
4. Tus huesos son muy duros.	______	______
5. La barba esconde el cuello.	______	______

B. Elige la parte del cuerpo del recuadro para completar la oración.

hueso	oreja	pelo	ojos	pulmones

1. Te lavas el ____________________ todos los días con champú.
2. La palabra ____________________ rima con la palabra vieja.
3. El manjar de un perro es un ____________________.
4. Los ____________________ parecen globos cuando se inflan.
5. Nuestros ____________________ siempre están abiertos de día y cerrados de noche.

Algunas partes del cuerpo humano

A. Escribe el nombre de cada parte del cuerpo en el espacio indicado.

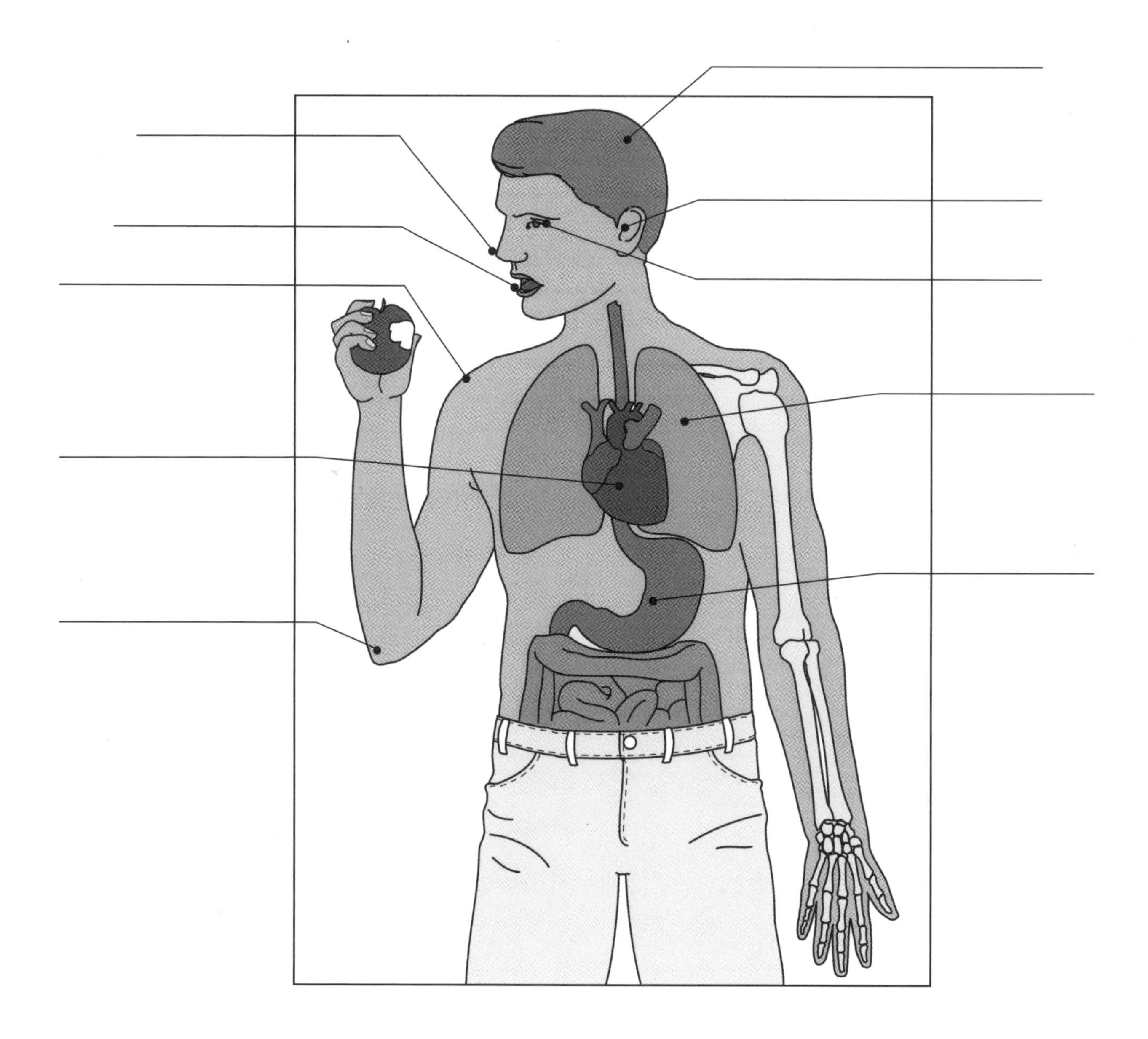

B. ¿Se escribe con la *h* o no? Subraya la palabra escrita correctamente.

hablaste	ablaste
ayer	hayer
ora	hora
hestar	estar
humano	umano
había	avía
ambre	hambre
hejercicio	ejercicio
oreja	horeja
hojos	ojos

C. Elige cinco de las palabras subrayadas y escribe una oración con cada una de ellas.

1. ______________________________

2. ______________________________

3. ______________________________

4. ______________________________

5. ______________________________

Verbos con *g* en la primera persona

A. Completa las oraciones con la forma correcta de los verbos *poner, salir, hacer* y *decir.*

1. La muchacha ______________________ su cama cuando se levanta.
2. María y Paula ______________________ deporte en la escuela.
3. Yo ______________________ *buenos días* a la maestra.
4. La Srta. Martínez ______________________ que tiene un hueso roto.
5. Yo siempre ______________________ de mi casa para la escuela a las ocho.
6. Nosotros ______________________ nuestros libros encima de la mesa.

B. Rodea con un círculo la forma correcta del verbo y completa la oración.

1. La Srta. Gómez ______________________ a las cuatro para caminar.
   (salgo / salimos / sale)
2. Héctor ______________________ que tiene un brazo roto.
   (decimos / dice / digo)
3. Yo ______________________ mi despertador por la noche.
   (pongo / ponen / pone)
4. Nosotros ______________________ cola en el cine.
   (hago / hacen / hacemos)
5. Pablo no ______________________ ejercicio.
   (hacemos / hace / hago)

El corazón

A. Contesta las preguntas basándote en la lectura en las páginas 56–57 de tu libro.

EL CORAZÓN

¿Qué tipo de músculo es?	¿Qué hace?	¿Cómo qué es?

ESCUCHA EL CORAZÓN

¿Cómo lo haces?	¿Qué necesitas?	¿Cómo lo usas?

¿Qué aprendiste?

A. Lee las pistas y escribe las palabras para descubrir el nombre de algo importante para los médicos.

PISTAS

1. órganos que sirven para la respiración
2. líquido rojo que circula por el cuerpo
3. 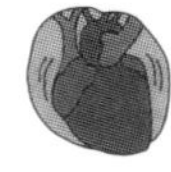
4. roca pequeña
5. sin que nos demos cuenta o sin que podamos controlarlo
6. 
7. 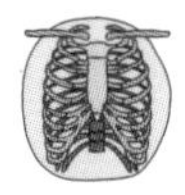
8. El corazón envía la sangre a todo nuestro ____________.
9. ____________ son las partes del cuerpo que tiene más huesos.
10. El corazón está dentro del ____________.
11. El corazón bombea la sangre por las ____________.
12. ____________ es el color del corazón.

La nutrición

Platos nutritivos

A. Rodea con un círculo el número de la instrucción correcta, y marca con una X la incorrecta.

Rollos de tortilla

1. cuatro tortillas de harina
2. ocho libras de pechuga de pollo
3. un paquete de queso crema
4. un tomate pequeño

Sopa de pepino fría

5. un bote de yogur sin sabor
6. una cebolla
7. cuatro pepinos
8. un tallo de apio

B. Enumera cada serie de instrucciones para hacer los rollos de tortilla en el orden correcto.

1. ______ Añade los chiles y el tomate.
   ______ Bate el queso hasta que esté suave.
   ______ Mezcla bien el queso con los chiles y el tomate.

2. ______ Mételos en el refrigerador por dos horas.
   ______ Envuelve los rollos en papel toalla.
   ______ Enrolla las tortillas.

3. ______ Corta en trocitos los pepinos, el pimiento y el apio.
   ______ Pon el puré en un bol.
   ______ Bate los ingredientes en una licuadora hasta hacer un puré.

4. ______ Pon la sopa a enfriar en el refrigerador.
   ______ Añade el yogur y el chorrito de aceite.
   ______ Añade el vinagre, la sal y la pimienta al gusto.

Nutrientes y alimentos

A. Completa las oraciones con palabras en el cuadro.

energía	frijoles	minerales
vitaminas	proteínas	cereales
calcio	leche	carnes

1. Las frutas y los vegetales contienen ______________.
2. Las ______________ son nutrientes necesarios.
3. Los ______________ como la avena contienen carbohidratos.
4. La ______________ contiene calcio.
5. El ______________ en un mineral que es bueno para los huesos.
6. Los ______________ son nutrientes que ayudan a formar los huesos.
7. Los carbohidratos son nutrientes que nos dan ______________.
8. Los ______________ y las ______________ contienen proteínas.

B. Escribe el cognado de estas palabras.

calcium ______________

mineral ______________

energy ______________

nutrients ______________

protein ______________

vitamin ______________

C. Haz un dibujo o escribe el nombre de varios ejemplos de cada una de las categorías alimenticias: *carbohidratos, vitaminas, minerales* y *proteínas.*

Carbohidratos	**Vitaminas**
Minerales	**Proteínas**

El imperativo

Completa cada oración con la forma correcta del imperativo del verbo.

A. Con la forma de **tú**

1. ______________ tu nombre en el papel. (Pone/Pon)
2. ______________ todos los ejercicios en tu cuaderno. (Haz/Hace)
3. ______________ el lápiz y el libro. (Tomas/Toma)
4. ______________ todos los vegetales. (Come/Comes)
5. ______________ bien antes de escribir la respuesta. (Piensas/Piensa)

B. Con la forma de **usted**

1. ______________ esta nota, Sra. Cabrera. (Tome/Tomes)
2. ______________ su firma aquí, por favor. (Pon/Ponga)
3. ______________ la puerta maestra, por favor. (Abras/Abra)
4. ______________ la respuesta correcta, Sr. Arregui. (Escribe/Escriba)
5. ______________ su nombre otra vez, por favor. (Diga/Dices)

La historia de mi vida

A. Resume la información de la lectura de la página 68, según los enunciados a continuación.

Cuando era chiquito Detalles	Ya tengo 11 años Detalles

La pirámide de la nutrición

¿Qué aprendiste?

A. Completa el crucigrama, usando las pistas dadas.

HORIZONTALES

1. Tomar alimentos.
2. Figura que representa la alimentación.
3. Se usan para ver.
4. Se usan para masticar.

VERTICALES

5. Personas adultas.
6. La pirámide de la ____________ presenta los alimentos.

B. Completa las oraciones con la palabra correcta.

1. Cuando doblas en forma de cilindro, tú ____________.
2. Las frutas y los vegetales contienen ____________.
3. Las ____________ son necesarias para crecer y mantenerse en buenas condiciones.
4. Los ____________ son buenos para los huesos.

Los mayas

Turistas en Chichén Itzá

A. Lee cada oración de la lectura en las páginas 74–75. Luego, marca *Sí* o *No*, según la información.

	Sí	No
1. La historia de los mayas es muy larga.	☐	☐
2. Cuando los españoles llegaron a Chichén Itzá, estaba en ruinas.	☐	☐
3. El Caracol era un observatorio.	☐	☐
4. Los mayas tenían cuatro calendarios.	☐	☐
5. El año maya era de 365 días.	☐	☐
6. El pueblo maya se desarrolló en el norte de México.	☐	☐

B. Une las palabras de la izquierda con la opción correcta para completar cada oración.

1. El tiempo y los planetas	varios siglos.
2. El Castillo	fascinaron a los mayas.
3. El edificio circular es	hace 1,300 años aproximadamente.
4. Chichén Itzá estaba en ruinas durante	El Caracol.
5. El pueblo maya se desarrolló en	es una pirámide.
6. La civilización maya floreció	el sur de México y el norte de Centroamérica.

Símbolos y figuras mayas

A. Marca la respuesta correcta con una X.

1. ¿Qué han estudiado los arqueólogos?
   ____ los caminos mayas
   ____ los símbolos y las inscripciones mayas
   ____ el año solar

2. ¿Qué era El Caracol?
   ____ el calendario civil
   ____ un turista
   ____ un observatorio

3. ¿Cómo es El Caracol?
   ____ circular ____ civil ____ solar

4. ¿Cuántos calendarios tenían los mayas?
   ____ uno ____ dos ____ tres

5. ¿Qué estudiaron en el observatorio?
   ____ los siglos ____ las pirámides ____ los astros

6. ¿Qué floreció hace aproximadamente 1,300 años?
   ____ el calendario maya ____ la civilización maya
   ____ el año solar

B. Une la frase de la izquierda con las palabras correspondientes de la columna de la derecha.

1. donde estudiaban los astros — a. 365 días
2. calendario civil — b. el haab
3. año solar — c. Chichén Itzá
4. han estudiado las inscripciones mayas — d. observatorio
5. calendario sagrado — e. el tzolkin
6. está restaurado — f. los arqueólogos

Cognados; complemento directo; pronombres

A. Completa cada oración con la palabra correcta.

astronomía	arquitecta	diplomacia	arqueología

1. La diplomática/el diplomático practica la ______________________.
2. El astrónomo estudia la ______________________.
3. La ______________________ practica arquitectura.
4. El arqueólogo/la arqueóloga estudia la ______________________.

B. Escribe los cognados de las siguientes palabras:

En inglés

1. geografía ______________
2. tecnología ______________
3. democracia ______________
4. tradición ______________
5. educación ______________
6. civilización ______________

En español

7. diplomacy ______________
8. archaeology ______________
9. celebration ______________
10. conversation ______________
11. nation ______________
12. exploration ______________

C. Lee cada oración. Luego escribe el complemento directo en la línea. El complemento directo se puede reconocer con la pregunta *¿qué? + verbo.*

1. Los astrónomos estudian los planetas.

   ____

2. Los turistas miran las pirámides.

   ____

3. Las niñas hacen sus tareas.

   ____

4. Marta quiere un carro.

   ____

5. La diplomática perdió su mochila.

   ____

6. Los mayas usaban jeroglíficos.

   ____

D. Sustituye el complemento directo con el pronombre correcto.

	Masculino	Femenino
Singular	Lo	La
Plural	Los	Las

1. Llamé a mi mamá. ____________ llamé.
2. Ayudo a mi tío. ____________ ayudo.
3. Vi a los turistas en Chichén Itzá. ____________ vi.
4. Espero a las astrónomas en El Caracol. ____________ espero.

John Lloyd Stephens y los mayas

A. Completa el *organizador gráfico* con los eventos de la lectura *John Lloyd Stephens y los mayas.*

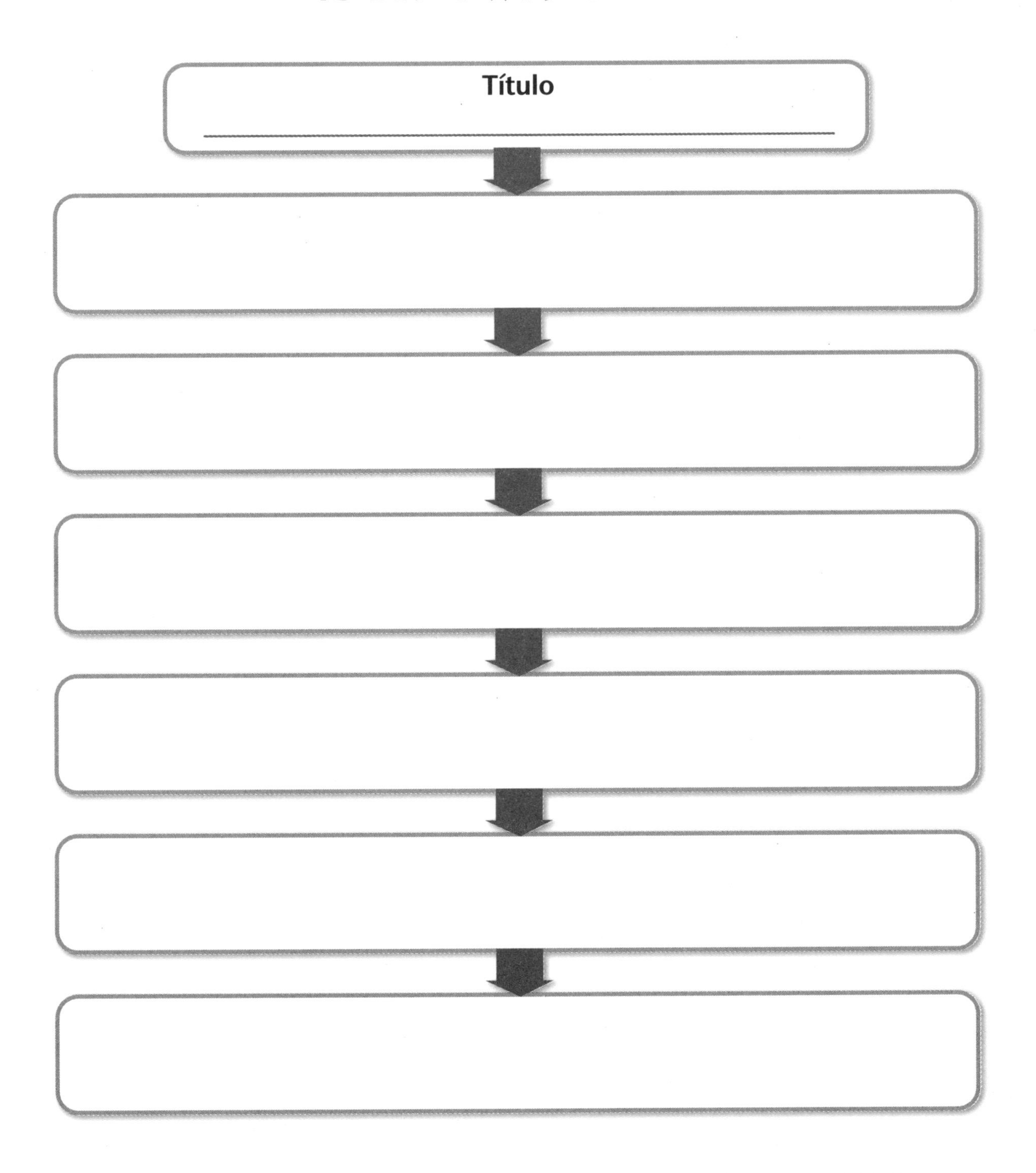

¿Qué aprendiste?

A. Busca las palabras de la lista en la sopa de letras.

O	S	T	D	P	L	Y	U	M	O	E	S	L	I	D	V	V	Z
L	L	M	A	Y	A	S	R	N	K	U	M	L	C	R	R	W	I
V	E	W	N	S	D	U	E	A	B	U	E	I	U	E	O	V	C
S	M	R	T	E	G	C	R	P	M	T	E	B	E	C	H	E	Y
T	U	E	I	L	U	S	T	R	A	D	O	R	J	O	T	W	V
F	R	B	G	E	E	E	P	O	P	R	D	O	N	Y	H	C	O
N	N	E	U	X	R	Q	T	V	I	I	E	W	P	C	K	W	E
E	J	F	O	E	R	U	O	E	L	N	L	L	V	A	C	V	E
T	S	W	S	O	A	W	D	C	T	E	X	C	A	V	A	R	D
E	O	D	T	W	K	D	K	H	Y	O	B	I	G	Y	A	B	X
Y	K	L	B	E	V	Y	T	A	Y	Q	O	P	F	C	B	O	I
D	R	T	C	Q	P	M	W	H	H	E	T	L	E	I	L	A	R
D	E	S	C	U	B	R	I	M	I	E	N	T	O	S	L	M	T

aprovecha
mayas
excavar
libro
antiguos
guerra
ilustrador
descubrimientos

El reino animal

El plumaje del múcaro

A. Escribe *Cierto* o *Falso* en el cuadro, según la información en las páginas 86–87 de tu libro.

Cierto **Falso**

1. El guaraguao estaba desnudo cuando llegó a la casa del múcaro. 

2. Cada pájaro decidió prestarle una de sus plumas al múcaro. 

3. Según el cuento, hace mucho tiempo los animales celebraban fiestas y bailes. 

4. Las plumas eran todas del mismo color.  

5. En el baile, el múcaro se sentía muy lindo en su traje de plumas de distintos colores.  

6. El múcaro decidió no perder su traje. 

7. El guaraguao y los otros pájaros se fueron de la fiesta y se escondieron en el bosque.  

8. El múcaro sólo sale de noche porque los demás pájaros lo andan buscando para que les devuelva sus plumas.  

La clasificación de los animales

A. ¿En cuántos grupos se dividen los animales? Escribe el nombre de cada uno.

1. ______________________________

2. ______________________________

B. Completa las oraciones, usando las palabras del cuadro.

mamífero	arácnidos	molusco
peces	anfibios	reptiles
	invertebrados	

1. Los ______________ son animales vertebrados.

2. El pulpo es un ______________.

3. Los insectos pertenecen al grupo de los ______________.

4. El tigre es un ______________.

5. Las ranas y los sapos son ______________.

6. Las culebras pertenecen al grupo de los ______________.

7. Los escorpiones son ______________.

C. Escribe en la línea el nombre correspondiente a cada grupo, de acuerdo a su clasificación: animales vertebrados e invertebrados.

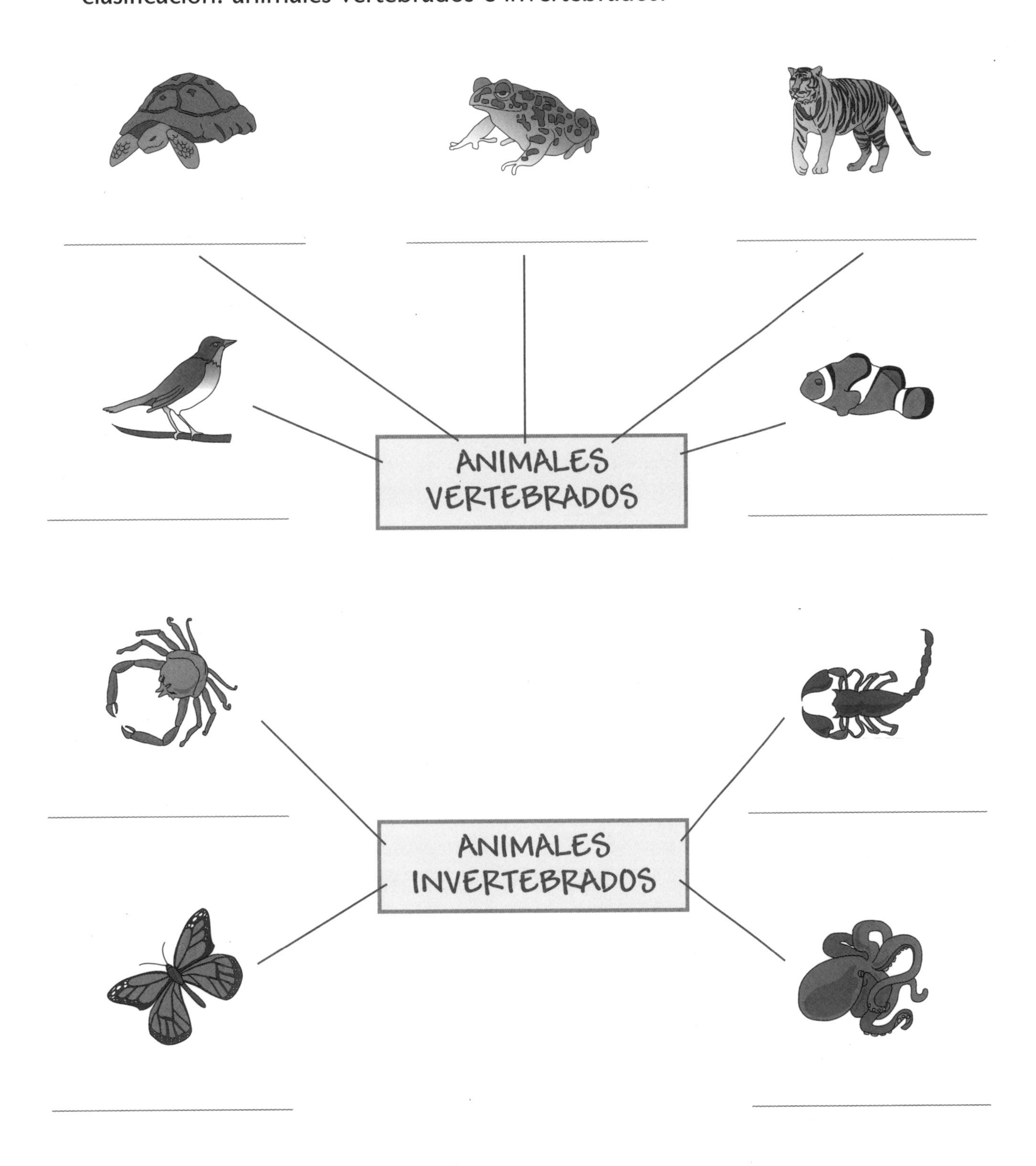

El complemento indirecto; pronombres

A. El complemento indirecto se puede reconocer con las preguntas *¿a quién?* o *¿para quién?* ¿Cuál es el complemento indirecto en las oraciones que están a continuación? Rodea con un círculo el cuadro que contiene la respuesta correcta.

1. El maestro lleva libros a los estudiantes.

2. El guaraguao iba de casa en casa para invitar a todos los pájaros.

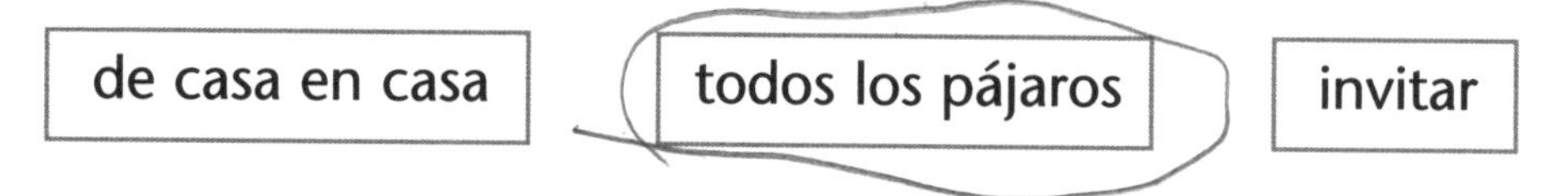

3. La mamá dio un regalo a su hijo.

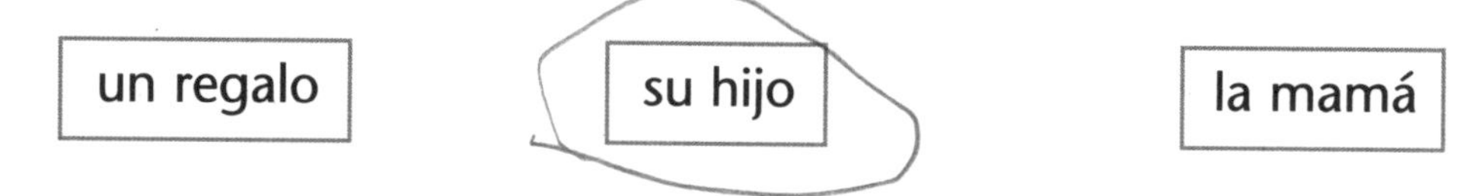

B. El complemento indirecto se sustituye con los pronombres *le* (singular) y *les* (plural). Escribe de nuevo cada oración, colocando el pronombre *le* o *les,* en lugar del complemento indirecto.

1. La maestra explica el problema a los estudiantes.

____

2. La mamá da un regalo a su hija.

____

3. El guaraguao da las plumas al múcaro.

____

El jaguar, rey de la selva americana

A. Escribe la información de la lectura en las páginas 92–93, empleando las palabras que aparecen en el cuadro *El jaguar.* Usa los cuadros a continuación, para clasificar la información según cada título.

El jaguar	
~~felino~~	pantanos
selvas	nadador
~~piel~~	cazador
gatos ~~domésticos~~	en peligro
~~manchas~~	desaparecer
los españoles	mayas
pueblos indígenas	~~aztecas~~
respetaban	vegetación
	el rey
	ilegal

El jaguar

manchas
piel
doméstico

El jaguar en el pasado

felino
aztecas
los españoles
mayas

El jaguar hoy

¿Qué aprendiste?

A. ¿Cuál es la palabra que está mal escrita? Mira cada dibujo y descubre la palabra que lo describe. Escríbela en los cuadros.

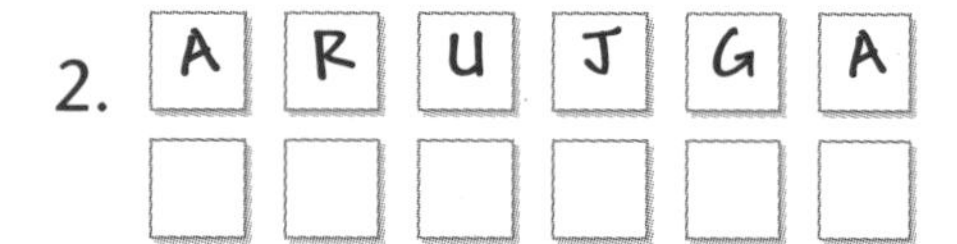

4. Z R A A C O D

La salud

El primer resfriado

A. Completa cada oración con la información correcta del poema *El primer resfriado*, en las páginas 98–99 de tu libro.

1. Me duele la punta tonta de los dedos.
   (los dedos / el cabello / la hormiga)
2. Aquí en la garganta una hormiga corre.
   (ventana / garganta / espalda)
3. Chaquetas, bufandas, leche calentita...
   (manta / hormiga / leche)
4. ...y estarse muy quieto junto a la ventana.
   (quieto / tonta / calentita)
5. ...una hormiga corre con cien patas largas.
   (mantas / patas / bufandas)

B. Marca una X en la línea correcta, según la historia.

	Cierto	Falso
1. Cuando tengo gripe, me duele la garganta.	X	
2. Tomo leche fría cuando estoy resfriada.		X
3. No me duelen los ojos, la espalda ni el cabello.		X
4. Uso chaquetas y bufandas cuando tengo gripe.	X	

Estar enfermo

A. Escoge las palabras apropiadas para completar el esquema.

mantas	leche calentita	el cabello	pañuelos
chaquetas	la espalda	la garganta	bufandas

Cuando estoy resfriado/a...
me duele...

la garganta	el cabello	la espalda

...y necesito...

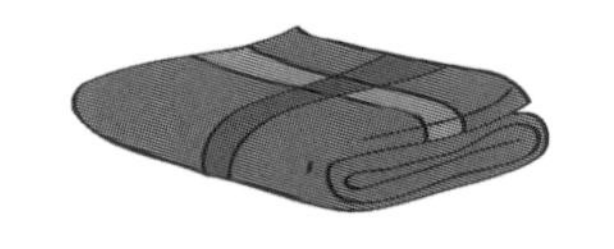

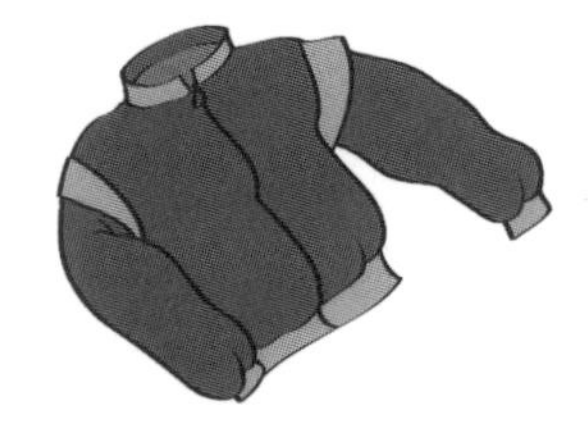

mantas	leche calentita	chaquetas

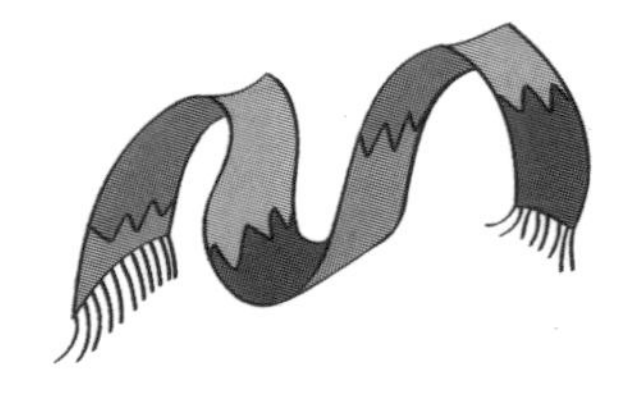

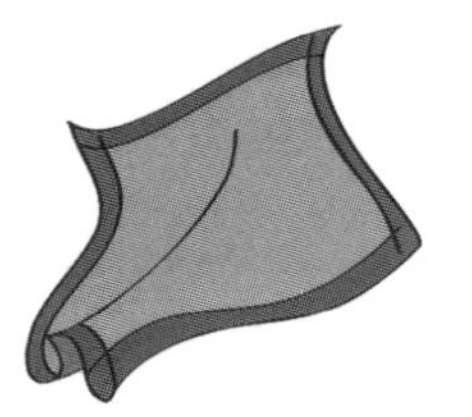

bufandas	panuelos

B. Lee las palabras del cuadro. Después escribe cada una en la columna correspondiente, según tenga el sonido de la *r* suave o la *r* fuerte.

guitarra	comer	cantar	arriba	loro	doctora
carro	resfriado	radio	dormir	Israel	cara

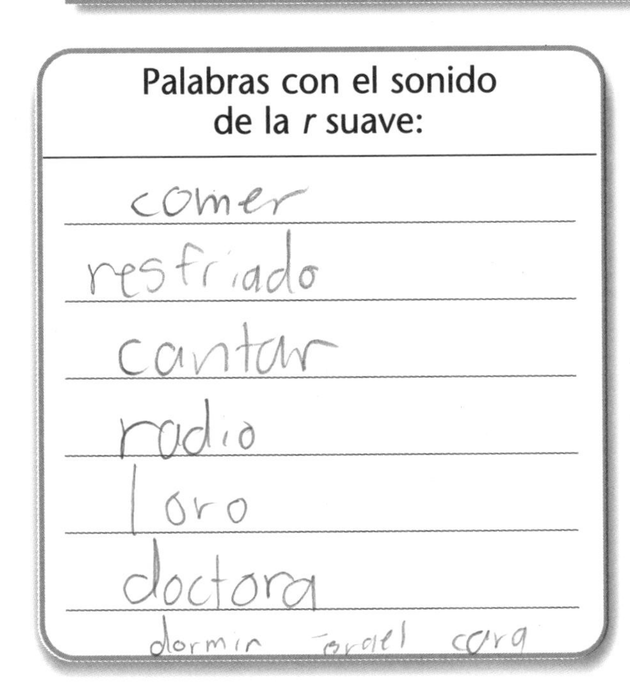

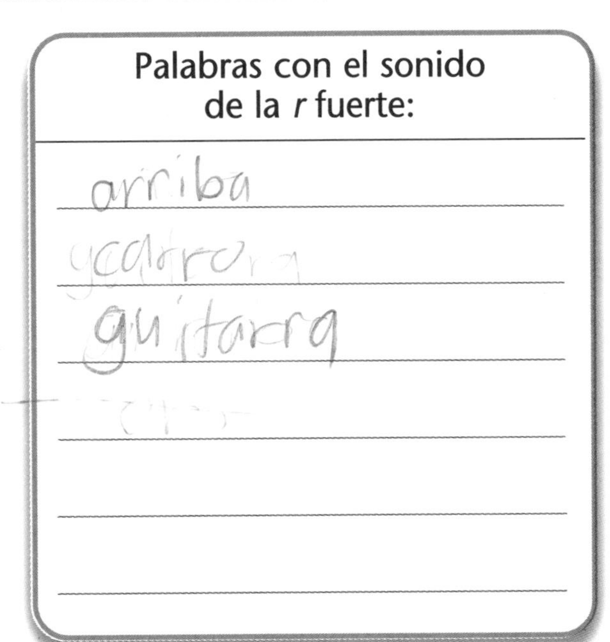

C. Completa el párrafo con las palabras que faltan, según la información de la página 101.

Bartolo, el mono, subido en la rama toca la guitarra, canta como loro.

Se rompe la rama, se cae Bartolo.

Con la mono rota, y la cara hinchada.

El pobre Bartolo no canta ni toca.

Los pronombres

A. Subraya el pronombre que sea complemento directo o indirecto.

1. Tu papá te llama.
2. ¿Te dio el libro de inglés?
3. Mi tío me compró una bufanda.
4. La maestra nos dio un examen.
5. El doctor me dio una receta.

B. Completa cada oración con las palabras correctas.

me gusta	le aburre	te interesan	te duele	le importan

1. ¿No te duele la garganta?
2. A mí me gusta la leche calentita.
3. A Miguel le importa todas sus clases
4. Manuela, ¿te interesan los animales?
5. Al niño le aburre el ejercicio.

¿No te interesa ser un niño sano?

A. ¿Cuál es el mensaje del autor? Contesta las preguntas en los cuadros para resumir la obra en las páginas 104–105 de tu libro.

Título de la obra:

¿De qué trata la obra?

¿Cuál es el mensaje?

¿Qué ocurre?

¿Cómo termina la obra?

¿Qué aprendiste?

A. Lee las pistas y llena el crucigrama, para que descubras una palabra que define algo que necesitas para estar saludable.

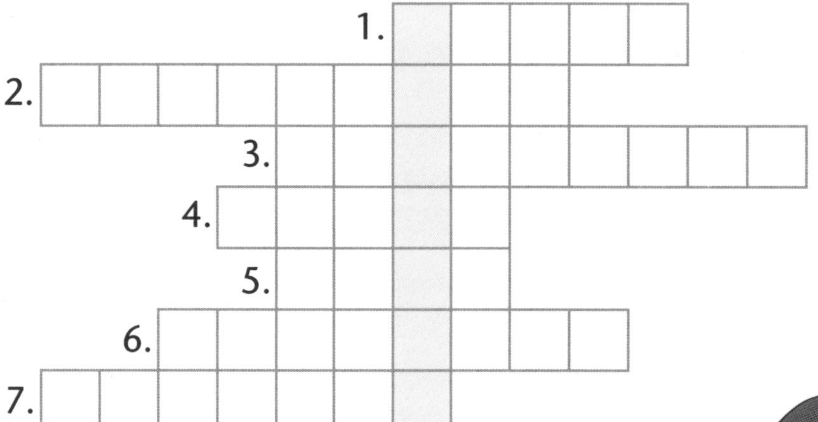

PISTAS

1. una clase de microbio
2. una enfermedad
3. producen enfermedades como el tétano
4. bienestar
5. con buena salud
6. te duele cuando tienes gripe
7. muñecos que representan personajes en una obra teatral

Las plantas

El ensayo teatral

A. Escoge la frase que complete la oración y luego escríbela en el espacio correspondiente, según la dramatización del poema *El cuento de la semilla.*

1. La luz brillante del sol se representa con una linterna.
   (con un cubo / con una semilla / con una linterna)

2. Las niñas estaban listas para ____________________.
   (danzar alrededor de Sharon / encender la linterna / pretender estar dormidas)

3. El confenti representa la lluvia.
   (El papel crepé verde / El confeti / La linterna)

4. Las niñas levantan los cubos de confet y lo dejan caer a puñados.
   (un vestido verde / una luz anaranjada brillante / los cubos de confeti)

5. Los niños hacen una dramatización del poema *El cuento de la semilla*
   porque es el dia de la tierra.
   (una danza / el Día de la Tierra / un día de lluvia)

6. Cuando todos se acercan a Sharon, hacen una rreverencia.
   (una reverencia / confeti / papel crepé)

B. Escribe las palabras que faltan.

Oculta en el corazon de una semilla, bajo la tierra, una planta en profunda [illegible] dormía.

—¡Despierta!, dijo el calor.

Las plantas

A. Escribe la información que falta en los cuadros según la letra correspondiente.

El ciclo de vida de las plantas

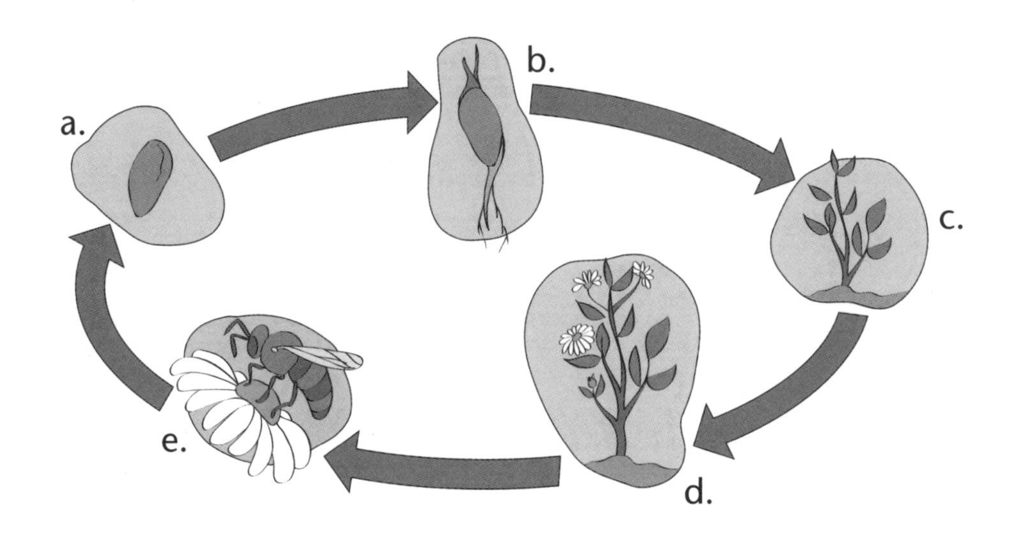

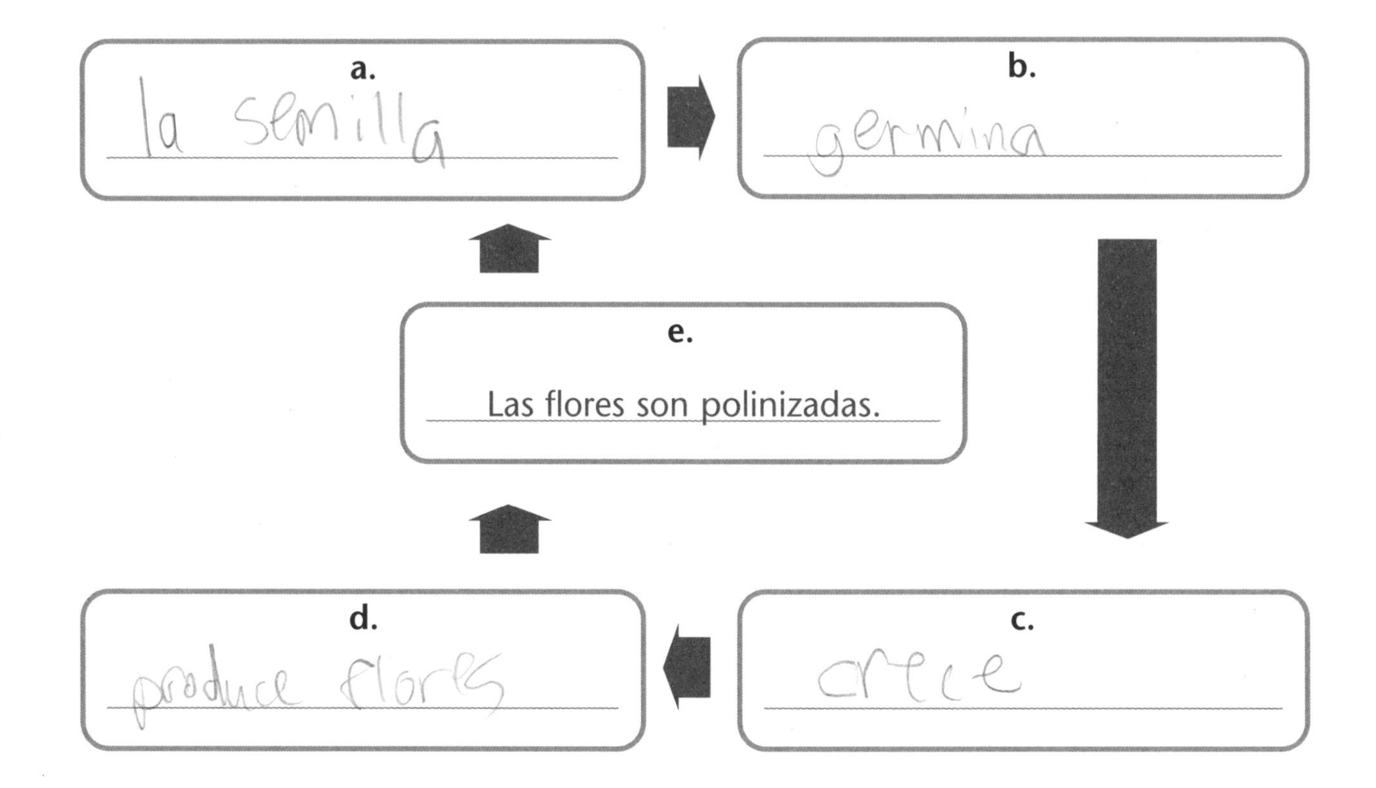

La forma imperativa

A. Cambia el imperativo en las siguientes oraciones de afirmativo a negativo, o de negativo a afirmativo.

1. Profesor, abra la puerta.

   ____

2. Paco, no abras la puerta.

   ____

3. Sra. González, escriba su nombre aquí.

   ____

4. Gabi, no escribas tu nombre aquí.

   ____

B. Cambia la oración afirmativa al imperativo, agregando una coma.

1. Paulina abre la ventana.

   ____

2. Luisa danza alrededor de Sharon.

   ____

3. Elisa escoge la respuesta correcta.

   ____

4. Marta escribe una carta a la maestra.

   ____

En el imperativo, los pronombres se colocan después del verbo y van unidos a éste.

C. Escoge la respuesta para completar cada oración. Luego escribe el imperativo en forma negativa.

1. Niños, duermanse.
   (se duerman / duérmanse)
   Ninos no se duermanse

2. María, tu tía preguntó por ti. Escribele.
   (Escríbele / le escribas)
   Marra no le escribes

3. Lavate las manos con frecuencia.
   (Te laves / Lávate)
   No lavate los manos

4. Abuelita, comprame este libro.
   (cómprame / me compres)
   Abuelita no me compes

5. Daniela, hagas lo que te digo.
   (hagas / haz)
   Daniela no haz

Las plantas, seres vivos que necesitamos

A. Escribe oraciones acerca de la lectura de las páginas 116–117.

Idea: La vida de una planta tiene varias etapas.

Detalles:

1. ______________________________

2. ______________________________

3. ______________________________

Idea: Las plantas reproducen, respiran y se alimentan de varios modos.

Detalles:

1. ______________________________

2. ______________________________

3. ______________________________

Idea: Las plantas son muy necesarias.

Detalles:

1. ______________________________

2. ______________________________

3. ______________________________

Idea: Usamos muchas partes de la planta como alimento.

Detalles:

1. ______________________________

2. ______________________________

3. ______________________________

¿Qué aprendiste?

A. Escribe una letra en cada cuadro, siguiendo el código. Descubrirás un mensaje sobre esta unidad de tu libro.

Código

1	2	3	4	5	6	7	8	9	10	11	12	13	14	15
A	B	C	D	E	F	G	H	I	J	K	L	M	N	O

16	17	18	19	20	21	22	23	24	25	26	27
P	Q	R	Rr	S	T	U	V	W	X	Y	Z

Cuentos de abuelos

¿Dónde están los bancos?

A. Escribe *Cierto* o *Falso* junto a cada oración acerca del texto dramático.

	Cierto	Falso
1. Al abuelo y sus amigos les gusta conversar en la plaza.	✓	
2. Hay un gran alboroto porque se llevaron los bancos.	✓	✓
3. Hay un gran alboroto porque viene el abuelo.		✓
4. Luis trabaja en el quiosco vendiendo periódicos y libros.	✓	
5. Luis trabaja en el banco.		✓
6. Esa noche llegó un camión del Departamento de Parques.		✓
7. Ahora no hay un banco en toda la plaza.	✓	✓
8. La señora ayuda a los señores.		✓

B. Une las oraciones/frases de las columnas para formar oraciones sobre la lectura.

1. No, señora. No es el banco — salir a caminar por las tardes.
2. Al abuelo le gusta — preguntemos a Luis.
3. Cuando llegó a la plaza — estaba una señora mirando revistas.
4. Calma, amigos. A ver — en toda la plaza.
5. En el quiosco — observó un gran alboroto.
6. No hay ni un banco — lo que ellos buscan.

Palabras con más de un significado

A. ¿Cuál es el significado correcto de la palabra subrayada? Escribe una X en la línea apropiada.

1. Necesito una hoja para escribir un cuento.
   ____ una parte del árbol
   __X__ un pedazo de papel

2. Se llevaron el banco del parque.
   __X__ lugar para sentarse
   ____ lugar para guardar dinero

3. Me río mucho con las payasadas de José.
   ____ río, cuerpo de agua
   __X__ río, verbo reír

B. Une con una línea la palabra de la izquierda con su significado en la columna de la derecha.

1. río	bebe
2. tocó	interpretó música
3. bancos	hace un deporte
4. toma	un cuerpo de agua
5. nada	lugares para guardar dinero
6. hoja	pedazo de papel

C. Completa cada palabra con una *s* o una *z*.

famo____o	lápi____	flore____	a____ul
piani____ta	____iete	____apato	to____

Verbos con cambios en la raíz *e → i; –ir*

A. Completa cada oración con la forma correcta de los verbos *pedir, servir* y *seguir.*

(yo) pido (tú) pides (él, ella) pide (usted) pide	PEDIR	(nosotros, –as) pedimos (ellos, ellas) piden (ustedes) piden
(yo) sigo (tú) sigues (él, ella) sigue (usted) sigue	SEGUIR	(nosotros, –as) seguimos (ellos, ellas) siguen (ustedes) siguen
(yo) sirvo (tú) sirves (él, ella) sirve (usted) sirve	SERVIR	(nosotros, –as) servimos (ellos, ellas) sirven (ustedes) sirven

1. **seguir**

   a. Amalia siempre ______________ los consejos de la maestra.

   b. Yo siempre ______________ los consejos de la maestra.

   c. Nosotros siempre ______________ los consejos de la maestra.

2. **pedir**

   a. Tú siempre ______________ sándwiches.

   b. Ustedes siempre ______________ sándwiches.

   c. Ella siempre ______________ sándwiches.

3. **servir**

   a. Ellos ______________ ensalada y refrescos.

   b. Nosotros ______________ ensalada y refrescos.

   c. Tú ______________ ensaladas y refrescos.

B. Llena los espacios con las letras correctas para deletrear la forma del tiempo préterito de los verbos *pedir* y *dormir.*

	pedir	**dormir**
yo	ped_____	dorm_____
tú	ped_____	dorm_____
él, ella	p_____d_____	d_____rm_____
usted	p_____d_____	d_____rm_____
nosotros, –as	ped_____	dorm_____
ellos, ellas	p_____d_____	d_____rm_____
ustedes	p_____d_____	d_____rm_____

C. Lee cada oración. Luego escoge la respuesta que la completa y escríbela sobre la línea.

1. Ellas ____________________ dos refrescos.
   (pedimos / piden / pedí)

2. Los niños ____________________ toda la noche.
   (durmieron / durmió / dormimos)

3. Amanda ____________________ un sándwich.
   (pedí / pidió / pediste)

4. Yo ____________________ ocho horas anoche.
   (dormí / dormimos / durmió)

5. Nosotros ____________________ ensaladas en la cafetería.
   (pidieron / pedimos / pedí)

Un viaje de sube y baja

A. Completa el esquema, escribiendo la causa o efecto que falta según el cuento *Un viaje de sube y baja.*

SECUENCIA DE SUCESOS

Título

____

Causa		Efecto
Unos hombre decían: —Mira a esos dos que van pasando. Tienen un burro y van caminando.	➡	______________________________ ______________________________ ______________________________
Unas mujeres ______________________________ ______________________________	➡	La niña se baja y el abuelo se sube.
Un campesino dice: —¿Ya vieron qué anciano tan desconsiderado?	➡	______________________________ ______________________________ ______________________________
Pasó un pastor y les dio una buena idea: —¿Por qué no se suben los dos en el burro?	➡	______________________________ ______________________________ ______________________________
Otros campesinos ______________________________ ______________________________	➡	El abuelo y su nieta se ______________________________ y continúan a pie.

¿Qué aprendiste?

A. Ordena cada palabra de la lectura *Un viaje de sube y baja* de acuerdo al significado en la columna de la izquierda.

Significado	Palabra
1. muy contentos	F E L I C E S
	C A A O N N I
2. viejo	__ __ __ __ __ __ __
	R S O A T P
3. persona que cuida ovejas	__ __ __ __ __ __
	A A M H H U C C
4. niña	__ __ __ __ __ __ __ __
	B E O P L U
5. ciudad pequeña	__ __ __ __ __ __

B. Escribe las palabras de la lectura *¿Dónde están los bancos?* de acuerdo a su significado en la columna de la izquierda.

1. tiempo corto	__ __ __ __
2. pone atención	__ __ __ __ __ __
3. den la vuelta	__ __ __ __ __ __
4. donde venden revistas	__ __ __ __ __ __ __

Héroes para siempre

Corrido de César Chávez

A. Lee cada oración acerca del *Corrido de César Chávez*. Luego escribe *Cierto* o *Falso*, según corresponda.

	Cierto	Falso
1. César Chávez nació en 1927.	✓	
2. César pidió justicia al llegar a San Francisco.		✓
3. César Chávez dijo: —Compañeros, ¡sí se puede!	✓	
4. César era líder de los campesinos.	✓	

B. Completa cada oración escogiendo las frases del cuadro.

hay que unirse pa' luchar.	así lo quiso el destino.
Merced, Manteca y Modesto.	la esperanza nunca muere.

1. Dicen los trabajadores...
   hay que unirse pa luchar
2. En las ciudades y campos...
   la esperanza nunca muere
3. Cerca de Yuma, Arizona...
   así lo quiso el de destino
4. Delano, Fresno y Madera...
   Merced Manteca Modesto

Cuatro hispanos famosos

A. Lee las oraciones a continuación y escribe el nombre del personaje según corresponda.

Benito Juárez

Rigoberta Menchú Tum

César Chávez

Rubén Darío

1. Ganadora del Premio Nobel de la Paz en 1992.
   Rigoberta
2. Es autor de la famosa frase, "El respeto al derecho ajeno es la paz".
   Benito
3. Es el poeta más famoso del movimiento literario conocido como el *modernismo*.
   ~~Rubén Darío~~ Cesar Chavez
4. Líder sindical y organizador de campesinos.
   cesar
5. Defensora de los derechos humanos para los pueblos indígenas.
   Rigoberta
6. Presidente mexicano y defensor de México durante la ocupación francesa, 1864–1867.
   Benito

B. Lee las palabras en el cuadro. Luego escribe cada una en la columna correspondiente, según sea *c* suave o *c* fuerte.

cuerpo	centavo	ocasión	color
César	Carlos	enciclopedia	doce

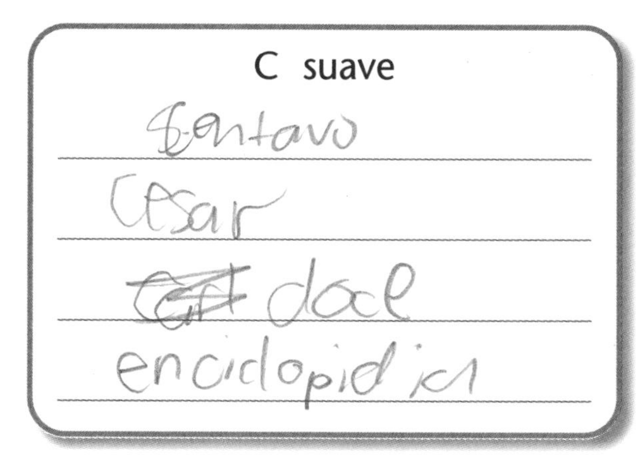

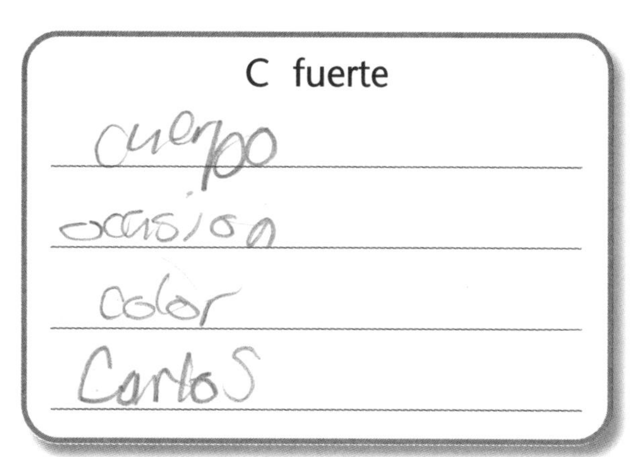

C. Sigue las instrucciones:

1. Escribe la forma plural de *pez*. ________________
2. Escribe la palabra *raíz* en plural. ________________
3. Rodea con un círculo las palabras que están escritas correctamente.

almorsar	tensión	sentavo	concierto
felizes	nación	instrucción	decición
comenzar	cansión	cemilla	ocasión

Los usos de *pedir* y *preguntar*

A. Escribe las siguientes oraciones en plural.

1. Tome este libro.

   ____

2. Escriba bien las instrucciones.

   ____

3. Recoja la bandera roja.

   ____

B. Completa con la forma correcta del verbo *pedir* o *preguntar*.

pide	pregunté	pides	pregunta

1. Su papá le ______________ volver a las ocho.
2. Yo le ______________ dónde estuvo.
3. ______________ a la maestra acerca de la tarea.
4. ¿Por qué siempre me ______________ favores?

C. Completa cada oración con el verbo de construcción reflexiva, siguiendo el ejemplo.

Ejemplo: Mariana se peina.

1. ¡Sí ______________!
2. ______________ esta casa.
3. El profesor ______________ una enciclopedia ayer.
4. Aquí ______________ inglés.

José Martí, patriota y poeta

A. Completa el esquema, escribiendo la causa o el efecto que falta, según la información de la lectura en las páginas 140–141 de tu libro.

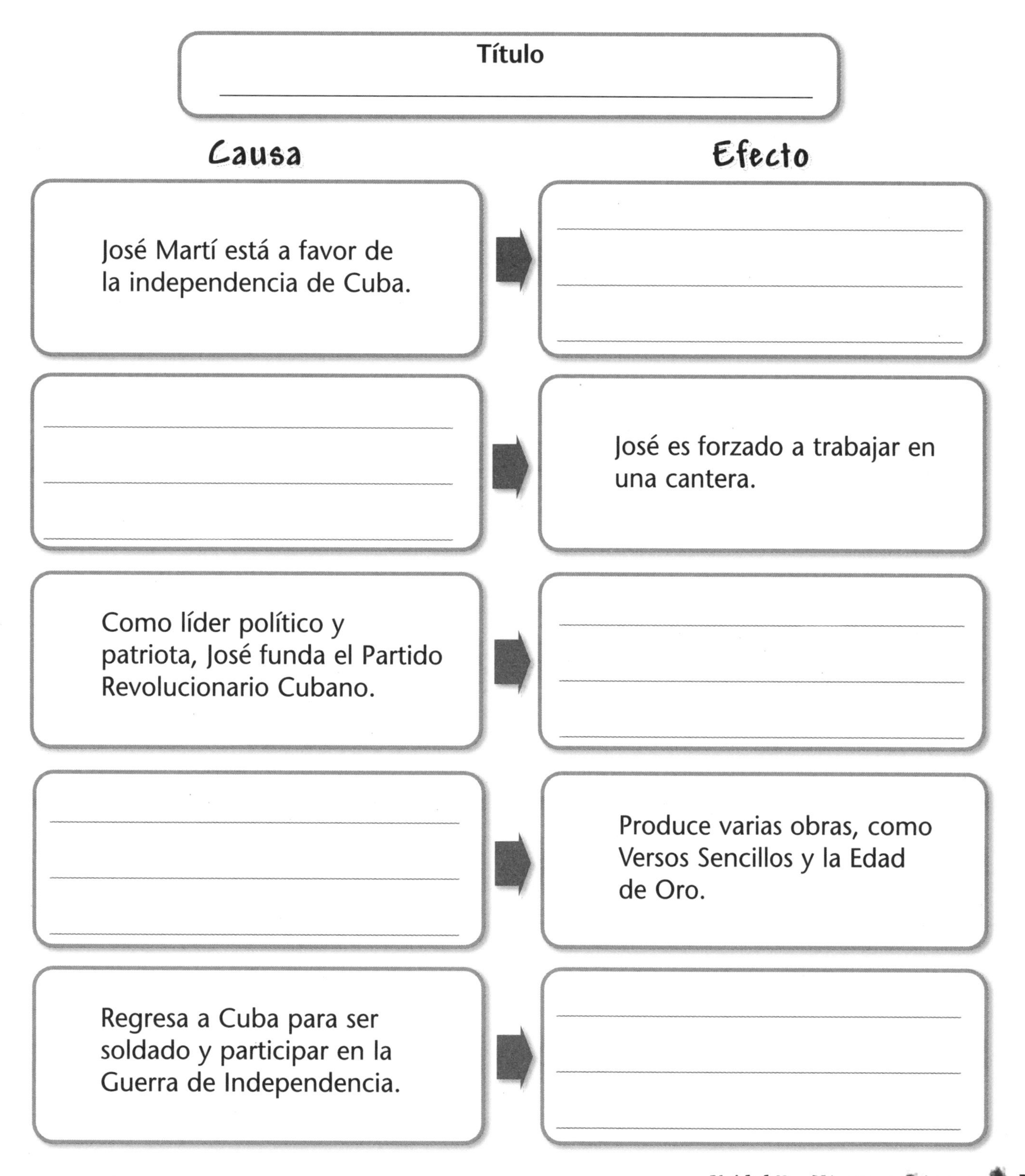

¿Qué aprendiste?

A. Completa el siguiente crucigrama de acuerdo con la lectura en las páginas 140–141 de tu libro.

1. La familia de José Martí vivía en ____ ____ ____ ____.
2. José estaba a favor de la ____ ____ ____ ____ ____ ____ ____ ____ ____ ____ ____ ____ ____.
3. José era muy buen ____ ____ ____ ____ ____ ____ ____ ____ ____ ____.
4. Lo deportaron a ____ ____ ____ ____ ____ ____.
5. Peleaba por la libertad usando la ____ ____ ____ ____ ____.
6. José Martí vivió casi 14 años en ____ ____ ____ ____ ____ ____ ____ ____ ____.

2. 1.

3.

6.

5.

4.

Unidad 13

Impresiones de la naturaleza

Canciones de Ignacio Copani

A. Rodea con un círculo la respuesta correcta, de acuerdo con la lectura de tu libro en las páginas 146–147.

1. Vengo del principio de los siglos.
   a. el árbol b. la naturaleza c. el agua
2. Hace ochenta años me pusieron para hacer la calle menos gris.
   a. el árbol b. la naturaleza c. el agua
3. …todos hoy estamos dando vueltas en la misma órbita que tú.
   a. el árbol b. la naturaleza c. el agua
4. …yo soy quien, gota a gota, calmará tu sed.
   a. el árbol b. la naturaleza c. el agua

B. Une las columnas según corresponda.

1. Sálvate, o mañana no habrá	la piel.
2. Sálvame, no me hieras más	tú también.
3. Gánate el derecho	quien le dé a la vida otra oportunidad.
4. Sálvame, si yo muero,	¿No me ves?
5. Sálvate, no maltrates	a respirar.
6. Sálvame, soy tu amigo	tu lugar.

Las regiones naturales

A. Marca la opción que dé la definición correcta de las palabras.

1. hieras
   a. calmas tu sed
   b. hagas daño
   c. tomes agua

2. ser
   a. persona
   b. río
   c. oportunidad

3. me sostengo
   a. mantenerme de pie
   b. te doy un abrazo
   c. estoy dando vueltas

4. principio
   a. lugar
   b. fin
   c. comienzo

5. sed
   a. estar en la misma órbita
   b. necesidad de tomar agua
   c. herir la piel

6. maltrates
   a. me ves
   b. trates mal
   c. hables

B. Completa cada oración con las palabras que faltan.

1. En el bosque tropical el clima es ______________.

2. Los picos de las ______________ siempre están cubiertos de ______________.

3. En los desiertos hay muy pocas ______________ y el ______________ es seco.

4. Las ______________ son planas y la tierra es buena para cultivar ______________.

C. Usa las palabras del recuadro para escribir la información que corresponde a cada región.

Chile	cereales	planas	seco
nieve	húmedo	Panamá	Arizona

Montañas	**Llanuras**	**Desiertos**	**Bosques**
______	______	______	______
______	______	______	______

D. Completa cada palabra con la *n* o la *ñ*.

1. P L A ___ A S

2. E S P A ___ A
3. N I ___ A
4. B U E ___ A
5. M O N T A ___ A
6. A R I Z O ___ A
7. M A ___ A ___ T I A L

El verbo *saber* y *conocer*

A. Completa el cuadro con la forma correcta de los verbos *saber* y *conocer*.

	Saber	**Conocer**
Yo		
Tú		
Él, ella		
Usted		
Nosotros		
Ellos, ellas		
Ustedes		

1. Yo no ______________ cómo se llama la maestra. (saber)
2. Tú ______________ México y Guatemala. (conocer)
3. ¿______________ los niños hablar inglés? (saber)
4. ¿______________ las muchachas a alguien de Nueva York? (conocer)
5. El Sr. García ______________ tocar la guitarra. (saber)
6. Yo no ______________ a esa muchacha. (conocer)

B. Completa las oraciones con la forma correcta del verbo *saber* o *conocer*.

1. Nosotros ______________ el nombre de ese animal.
2. Yo ______________ que en el desierto hay pocas plantas.
3. ¿______________ la selva de Panamá?
4. Patricia ______________ que la selva tropical es húmeda.
5. ¿Quién, en esta clase, ______________ las montañas de Chile?

Ecosistemas en peligro

A. Escribe las leyes ecológicas en los espacios indicados, según la lectura de las páginas 152–153.

Ecosistemas

Las leyes ecológicas según Alejandro Calvillo

1. ______________________________

____

2. ______________________________

____

3. ______________________________

____

B. Escribe detalles o ejemplos, según la leyes ecológicas de Alejandro Calvillo.

Las materias primas	Cómo conservar recursos
1. ____________	____________
2. ____________	____________
3. ____________	____________

¿Qué aprendiste?

A. Busca las palabras sobre la naturaleza en la sopa de letras.

N	P	O	P	Q	R	V	A	B	C	D
F	L	L	A	N	U	R	A	S	N	S
G	A	H	J	K	A	E	L	M	O	U
R	G	M	P	A	I	S	A	J	E	S
V	A	R	E	S	T	V	Z	Y	O	A
D	B	C	C	N	A	L	M	P	S	V
I	D	E	O	F	G	H	P	Q	V	I
V	I	O	S	J	K	O	K	R	Z	A
E	Q	U	I	L	I	B	R	I	O	Q
R	A	B	S	C	D	F	J	G	P	R
S	S	T	T	U	A	B	C	D	V	E
I	F	S	E	L	V	A	G	H	I	J
D	K	L	M	N	O	P	Q	R	D	S
A	T	L	A	G	U	N	A	W	A	X
D	Y	B	C	D	F	G	J	K	L	M

ecosistema

savia

plaga

llanura

paisajes

vida

laguna

selva

diversidad

equilibrio

B. Dibuja acerca de los ecosistemas en los espacios indicados.

La selva	El bosque	El desierto

Juegos y cuentos tradicionales

El tangram chino

A. Lee las siguientes oraciones relacionadas con la lectura *El tangram chino* en las páginas 158–159 de tu libro. Escribe si es *Cierto* o *Falso.*

	Cierto	Falso
1. El tangram chino es un rompecabezas de siete piezas.	______	______
2. El tangram es un juego chino muy moderno.	______	______
3. Con el tangram chino se pueden hacer círculos.	______	______
4. El verdadero reto está en hacer figuras de personas y animales con las siete piezas.	______	______
5. Las figuras no tienen contorno.	______	______
6. Para hacer el tangram necesitas cartulina de color y nada más.	______	______
7. Con el tangram chino se pueden hacer rectángulos, paralelogramos y triángulos.	______	______

B. Escoge la frase que complete la oración y escríbela en el espacio indicado.

1. Las piezas del tangram chino se obtienen cuando ______________________

   ____.

   a. haces un rectángulo   b. divides un cuadrado   c. te reúnes con un compañero

2. Con este juego puedes reproducir diferentes figuras que ______________

   ____.

   a. tienen 8 pulgadas   b. tienen 9 piezas   c. se reconocen por su contorno

Los cuentos tradicionales

A. Lee las palabras en el cuadro. Luego escríbelas en la columna correcta, según su categoría: *Personaje* o *Lugar*.

el palacio	el gigante	el bosque
el príncipe	el castillo	la cueva
la princesa		el duende

Personaje	**Lugar**
principe	palacio
pricesa	castillo
duende	bosque
gigante	cueva

B. Marca con una X la conjunción correcta de cada oración.

1. La princesa ____ el gigante juegan a las damas.

   ____ y
   ____ e
   ____ o

2. Padre ____ hijo deben compartir actividades divertidas.

   ____ y
   ____ e
   ____ o

3. No sabemos si Javier ____ Oscar hará un tangram.

   ____ y
   ____ e
   ____ u

C. Llena el diagrama a continuación, según las partes del argumento.

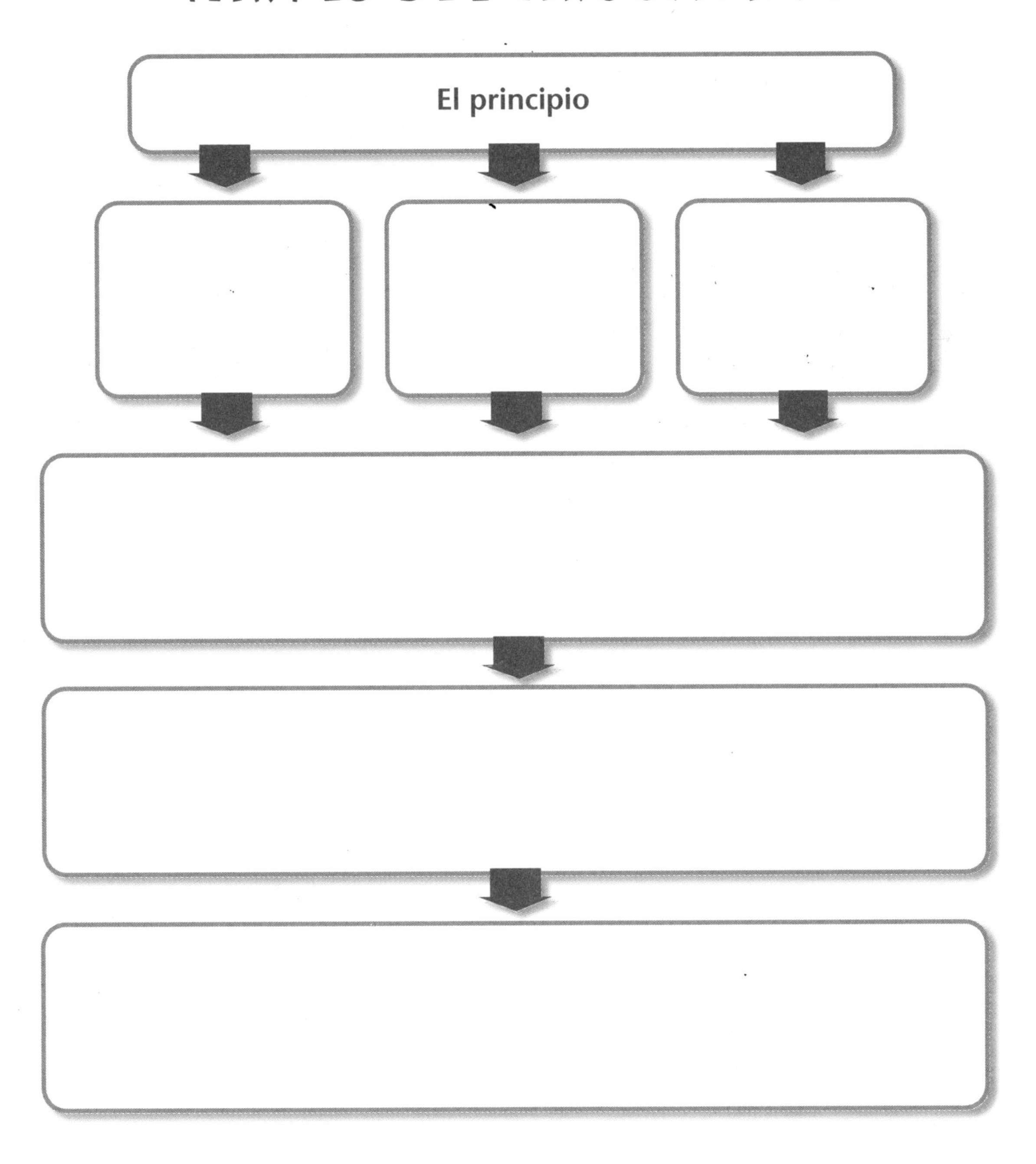

Los sufijos; tamaño e intensidad

A. Escoge la frase que complete la oración. Luego escribe la opción correcta en la línea.

1. Los sufijos son...

 ____

 a. verbos.
 b. pensamientos expresados.
 c. terminaciones que se añaden al final de una palabra.

2. Los sufijos llamados aumentativos sirven para...

 ____

 a. expresar mayor tamaño o intensidad.
 b. expresar afecto.
 c. expresar pensamientos.

3. Los diminutivos se usan para...

 ____

 a. expresar afecto, menor tamaño o intensidad.
 b. crear adjetivos.
 c. expresar intensidad.

4. Los sufijos *–ísimo* e *–ísima* expresan

 ____

 a. menor tamaño.
 b. el grado máximo de una característica.
 c. diminutivos.

B. Rodea con un círculo el significado correcto.

1. Hombre grande
 hombre pequeño / hombrón

2. Perro pequeño
 perrito / perro grande

3. Muy difícil
 dificilísima / poco difícil

4. Pedazo grande
 pedazo pequeño / pedazote

Una prueba de ingenio

A. Numera en orden del *1* a *9* los sucesos de *Una prueba de ingenio*. Luego haz un dibujo de cada suceso en el cuadro correspondiente.

_____ El hielo se rompió, haciendo un agujero en el agua.

_____ Hace mucho tiempo vivía una princesa que rechazaba a todos sus pretendientes.

_____ "Les pediré una prueba imposible", pensó. Días más tarde, apareció un caballero.

_____ La princesa se maravilló, y por fin se celebró la boda real.

_____ El caballero se marchó de allí y, poco a poco, disminuyó el número de pretendientes.

_____ Un día, cansada de atender a sus pretendientes, la joven tuvo una idea.

_____ Llegó un joven príncipe de un reino lejano y le dijo que se verían dentro de seis meses.

_____ El príncipe volvió y golpeó la superficie del estanque con un bastón.

_____ La princesa dijo que sólo se casará con quien pueda hacer un agujero en el agua.

B. Dibuja el suceso que te pareció más interesante.

¿Qué aprendiste?

A. Completa el crucigrama con palabras del vocabulario de esta unidad.

HORIZONTALES

1. punta
2. habilidad para inventar cosas
3. borde de un dibujo

VERTICALES

4. algo que piensas
5. muy triste
6. título que se usa con los hijos de los reyes
7. no quería
8. juego chino antiguo

Arte y estilo

Cómo se dibuja un paisaje

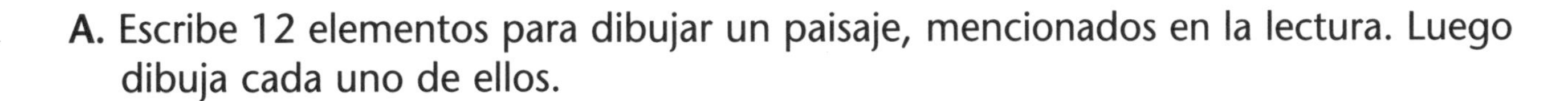

A. Escribe 12 elementos para dibujar un paisaje, mencionados en la lectura. Luego dibuja cada uno de ellos.

B. Une las palabras de la izquierda con su color. Luego colorea los cuadros de la derecha, del mismo color.

el astro Sol	marrón →	
el pino	azul →	
la montaña	amarillo →	
el lago	colorado →	
el conejo	verde →	
el campesino	gris →	

Palabras para expresar la posición

A. Completa las oraciones de acuerdo con la lectura de las páginas 172–173 de tu libro.

arriba una nube y
abajo una hormiga.
Un pez dentro
y uno afuera.
Una vaca cerca
y un caballo lejos
Un perro debajo
y una gata encima.
El mar enfrente
y las casas detrás.

B. Lee cada par de palabras. Identifica si son sinónimos o antónimos y marca con una X la respuesta correcta en el espacio indicado.

	Sinónimos	Antónimos
1. antiguo, anciano	☒	☐
2. formal, informal	☐	☒
3. lindo, hermoso	☒	☐
4. temprano, tarde	☐	☒
5. cerca, lejos	☐	☒
6. árido, seco	☒	☐

El pretérito perfecto compuesto y el participio

A. Lee la oración en inglés y escríbela en español.

1. I have been studying Spanish for one year.
   Hace un año que estudio español
2. María Elena has been to Cuba.
   Maria Elena ha ido a Cuba.
3. I haven't seen my grandfather.
   Yo no he visto a mi abuelo.
4. We have had a lot of homework in English class.
   Hemos tenido mucha tarea.
5. I have had this car for three weeks.
   Hace tres semanas que tengo mi carro

B. Escribe el participio irregular o el verbo en infinitivo.

ver	visto	volver	vuelto
escrito	escribir	abierto	abrir
poner	puesto	morir	muerto
hecho	hacer	dicho	decir

C. Escribe cuatro oraciones, usando verbos del ejercicio anterior.

1. Ellos han comido
2. Mi amigo vivido.
3. Ha comiste pan de jamon.
4. Hemos montamos en un roller coaster

D. Completa el cuadro con las conjugaciones del verbo *haber*. Luego escribe la forma correcta del verbo *haber* y el participio para completar las siguientes oraciones.

	Haber
yo	
Tú	
Él, ella	
Usted	
Nosotros, –as	
Ellos, ellas	
Ustedes	

vivido
comido
pintado
hablado

1. Yo ________ (haber) ______________ (hablar–participio) con el profesor.
2. Nosotros ________ (haber) ______________ (comer–participio) mucha comida italiana.
3. ¿________ (haber) ______________ (vivir–participio) aquí por mucho tiempo?
4. ¿Cuántas veces ________ (haber) ______________ (comer–participio) en aquél restaurante tus padres?

E. Subraya el participio pasado en cada oración.

1. ¿Qué ha pintado María?
2. ¿Has terminado la tarea?
3. ¿Qué ha escrito Rubén?
4. Han abierto un restaurante mexicano.

Dos muestras de pintura española

A. Completa los esquemas con información acerca de Francisco Goya y Joaquín Sorolla.

Francisco Goya—Idea principal:
Goya fue un pintor español

Detalle 1: Trabajo para la corte en Madrid pintando retratos de reyes y nobles

Detalle 2: pintaba escenas con colores fuertes y vivos

Detalle 3: Pintaba el horror de la guerra cuando los franceses invadieron España

Joaquín Sorolla—Idea principal:
Sorolla era u pintor impresionista

Detalle 1: Habia hecho exposiciones antes de cumplir 20 años

Detalle 2: Pintaba en las ultimas decadas del siglo XIX

Detalle 3: captaba la luz en los objetos y las personas

¿Qué aprendiste?

A. Escribe las vocales que faltan para completar las siguientes palabras.

1. pinturas — c u a d r o s
2. tradicional — c l a s i c o
3. movimientos del pincel — p i n c e l a d a s
4. rojo — c o l o r a d ___
5. palabra con significado opuesto — a n t o n i m o
6. palabra con significado parecido o igual — s i n o n i m o

B. Completa la oración con la palabra correspondiente.

1. Francisco Goy era un pintor español.
2. Goya trabajaba para la corte.
3. Sorolla pintaba al aire libre.
4. El cuadro de Goya que se muestra en tu libro se llama *El* quitasol.

Repasos

Unidad 1 Yo aquí, tú allí

A. Rodea con un círculo la respuesta correcta.

1. ¿Cuál de estos países no es hispano?
   a. Ecuador
   b. Chile
   c. Argentina
   d. Pakistán

2. Dentro del grupo, ¿cuál de estas palabras no es un sustantivo?
   a. bonito
   b. casa
   c. niño
   d. perro

3. Subraya los adjetivos en las siguientes oraciones:
   a. La casa de María es bonita.
   b. El profesor Gómez es alto.
   c. Nini es una perrita preciosa.
   d. El coche de mamá es grande.

4. Escribe en el espacio en blanco la palabra que completa la oración.

   a. Julieta es ______________ porque nació en Chile.

   b. En Venezuela, la arepa es un plato típico para desayunar. A los

   ______________ les encanta desayunar con arepas.

   c. En Ecuador hay sitios turísticos muy famosos, como las islas Galápagos.

   En Ecuador, los ______________ están muy orgullosos de estas islas.

   d. Las personas que nacen en El Salvador son ______________.

B. Escribe el artículo que completa la oración.

1. ______ perro de María es muy juguetón. (Un / El / Es)

2. Alejandro tiene ______ amigo colombiano. (la / está / un)

3. ______ clases de educación física son temprano por la mañana. (Las / Ellas / En)

4. El profesor Gómez tiene ______ ideas brillantes. (unas / ellas / son)

C. Marca la respuesta correcta, según cada instrucción.

1. Subraya el verbo en las siguientes oraciones:
   a. Alejandro y Antonio juegan en el parque.
   b. Gabriela y Antonio son los mejores estudiantes de la clase.
   c. La señora Lola es la mejor cocinera de la cafetería.
   d. Mis hermanos practican el español todas las tardes.

2. Subraya el sustantivo, artículo o adjetivo que corresponda en cada oración.
   a. La/Las casas en mi vecindario están todas pintadas de azul.
   b. Una/Unas amiga de Alicia se fue de vacaciones a España.
   c. El carro/carros de la familia González está en el taller mecánico.
   d. Gabriela tiene unos pendientes muy bonito/bonitos.

3. Completa las oraciones con la forma correcta del adjetivo.
   a. Mi hermano José es muy ________________. (inteligente / inteligentes)
   b. Las amigas de José son ________________. (alegre / alegres)
   c. Nini es una perrita ________________. (juguetón / juguetona)
   d. Mi tía Tulia me regaló una mochila ________________. (nueva / nuevo)

4. Escribe el pronombre personal que corresponda.
   a. ____________ voy a la escuela todas las mañanas.
   b. ____________ juegan básquetbol todas las tardes en el parque.
   c. ____________ vamos de visita al museo de ciencias.
   d. ____________ eres el más alto de la clase.

5. Escribe una oración completa usando las palabras en paréntesis.
   a. ____
   (castillo / oscuro / El / es)
   b. ____
   (soltaron / globos / niños / Los / rojos)
   c. ____
   (Andrea / diario / escribe / el / en)

Unidad 2 Agua va, agua viene

A. Rodea con un círculo la respuesta correcta.

1. ¿Cuál de las siguientes palabras no representa un estado del agua?
   a. líquido
   b. gaseoso
   c. lluvia
   d. sólido

2. ¿Cuál de las siguientes palabras describe un uso del agua?
   a. fusión
   b. vapor
   c. bañarse
   d. agujero

3. ¿Cuál de las siguientes palabras significa *tierras que producen mucho*?
   a. fértiles
   b. torrentes
   c. sólido
   d. condensación

4. ¿Qué son los siguientes: el lago, el río, el océano, los mares?
   a. chorros
   b. cataratas
   c. cubetas para recoger el agua
   d. cuerpos de agua

5. ¿Cuál de las siguientes terminaciones no representa el infinitivo de un verbo?
   a. –ar
   b. –ir
   c. –ción
   d. –er

B. Rodea con un círculo la palabra que completa la oración. Luego escribe la palabra en el espacio indicado.

1. ¿Cuál de las siguientes palabras completa esta oración?

   Mi abuelo ________________ El Paso el próximo junio.

   a. visito　　c. visitó
   b. visitará　　d. visitaste

2. ¿Cuál de las siguientes palabras completa mejor esta oración?

   En la presa se produce ________________ .

   a. granizo　　c. detergente
   b. cataratas　　d. electricidad

3. No dejes ________________ el agua cuando te cepillas los dientes.

   a. correr　　c. pasar
   b. regar　　d. recoger

4. Agua que no vas a ________________ no la dejes correr.

   a. lavar　　c. visitar
   b. beber　　d. leer

5. Mira la ilustración para escoger la palabra correcta.

   Esto se llama ________________.

   a. incendio
   b. presa
   c. granizo
   d. nube

   Esto se llama ________________.

   a. agujero
   b. torrentes
   c. detergente
   d. cataratas

Unidad 3 Deportes

A. Rodea con un círculo la palabra que no pertenece al tiempo de los verbos.

1. pierdo
encuentro
conté
recuerdo
2. piensan
recordamos
entienden
cuentan
3. perdí
encontré
recordé
recuerdan
4. entender
pensar
encuentran
contar

B. Marca la mejor opción, y escríbela en el espacio indicado.

1. Luis controló las ruedas de su silla ______________.

    ___ con el apoyo de alguien

    ___ con la rampa

    ___ con las manos

    ___ porque hay centros especiales para niños

2. Luis quería jugar de portero porque ______________.

    ___ había un número impar de jugadores

    ___ así corría menos

    ___ estaría mejor en una ciudad grande

    ___ sus compañeros estaban confundidos

3. ¡Hasta luego, Luis! —dijeron ______________ Sara y Emilio.

    ___ de nacimiento

    ___ í, claro

    ___ de portero

    ___ a coro

4. Estoy en ______________________ porque tengo parálisis.

___ el campo de fútbol

___ la portería

___ el mismo barrio

___ la silla de ruedas

5. Como son ______________________, un número impar, tienen que jugar cuatro contra tres.

___ siete ___ cuatro

___ seis ___ ocho

6. Luis vive en ______________________.

___ un centro especial

___ el mismo barrio que Sara y Emilio

___ el campo de fútbol cerca de la escuela

___ el césped

7. Una jugadora de tenis es: ______________________.

___ una tenista

___ un fútbol americano

___ una Copa Mundial

___ un basquetbolista

8. En Estados Unidos *fútbol* se llama ______________________.

___ las Olimpiadas ___ soccer

___ football ___ "The Olympics"

Unidad 4 Vecinos reales e imaginarios

A. Marca con una X las palabras que no están escritas correctamente.

___ estava ___ hablaban ___ vivía

___ vibían ___ contaban ___ jugávamos

Marca con una X las formas del pretérito imperfecto.

___ hablaron ___ lloré ___ contaba

___ dormíamos ___ estuve ___ jugaron

___ vivió ___ contaron ___ estabas

___ hablaban ___ dormiste ___ estuvieron

B. Marca la respuesta que mejor completa las oraciones acerca de la historia *Rongogongo y Sasal.* Luego escríbela en el espacio indicado.

1. En el País de los Números, se pasaban el tiempo ____________________.

   ___ corriendo de un lugar a otro ___ haciendo cuentas

   ___ buscando dragones ___ leyendo libros

2. A Rongogongo no le gustaba ____________________.

   ___ hacer cuentas

   ___ correr constantemente

   ___ contar

   ___ buscar dragones con los ojos de color de cereza

3. Un día Rongogongo y Sasal se encontraron ____________________

   ____________________.

   ___ en el País de los Números

   ___ en el País de las Prisas

   ___ donde las personas fueron de un lugar para otro

   ___ lejos del País de las Prisas y el País de los Números

4. En el país sin números y sin prisas ______________________________
____.

____ todos querían contar

____ se reía un dragón

____ todos querían tener más y más cosas

____ todos siempre estaban muy cansados

C. Lee el siguiente párrafo. Rodea con un círculo la palabra que complete la oración y escríbela en el espacio indicado.

Mi vecino, Miguel, es un anciano y es muy tranquilón. Me gusta charlar con él. Él me ayuda con mis cuentas. A él le gusta su huerto. Allí tiene muchas coles.

1. Mi ______________________ se llama Miguel.
   a. anciano
   b. huerto
   c. vecino

2. En su huerto tiene ______________________.
   a. cuentas
   b. coles
   c. vecinos

3. Miguel me ayuda con ______________________.
   a. mi huerto
   b. mis vecinos
   c. mis cuentas

4. Me ______________________ charlar con él.
   a. gusta
   b. ayuda
   c. tiene

Unidad 5 El cuerpo humano

A. Rodea con un círculo la palabra que completa la oración. Luego escríbela en el espacio indicado.

1. El ______________________ humano tiene 206 huesos.
   a. ejercicio
   b. esqueleto
   c. estómago
   d. intestino

2. El corazón envía la ______________________ a todo nuestro cuerpo.
   a. respiración
   b. boca
   c. sangre
   d. piedra

3. Las arterias y las ______________________ llevan y traen la sangre del corazón.
   a. piernas
   b. rodillas
   c. manos
   d. venas

4. Los pulmones, el corazón y el ______________________ son partes del cuerpo humano.
   a. libro
   b. lápiz
   c. estómago
   d. cama

5. El corazón es como ______________________.
   a. un simple instrumento
   b. tu oído
   c. un estetoscopio
   d. una bomba de agua

B. Marca con una X la palabra mal escrita.

1. ____ oreja
   ____ abía
   ____ horrible
   ____ hay

2. ____ hacer
   ____ uevo
   ____ hueso
   ____ hora

3. ____ hombro
   ____ oy
   ____ estómago
   ____ hablar

4. ____ hinglés
   ____ humano
   ____ hoy
   ____ había

5. ____ hescucha
   ____ jirafa
   ____ entre
   ____ hicimos

6. ____ hago
   ____ ambre
   ____ hojas
   ____ instrumento

C. Rodea con un círculo el verbo que complete la oración. Luego escríbelo en el espacio indicado.

1. Los estudiantes ________________ deporte por las tardes. (hacemos / hacen)
2. La gente ________________ cola. (haces / hace)
3. Yo ________________ a las cinco. (salen / salgo)
4. Cristina ________________ el papel de la Cenicienta. (hace / hacen)
5. Pobre Héctor, ________________ un accidente. (tuvo / tuvieron)
6. ¿Cuántos huesos ________________ el cuerpo humano? (tiene / tienen)
7. Yo ________________ buenos días a todos mis amigos. (decimos / digo)
8. Si quieres, ________________ la radio. (pongo / pusiste)

Unidad 6 La nutrición

A. Rodea con un círculo la palabra que se describe a continuación.

1. Mover rápidamente con una cuchara.
   a. dejar
   b. batir
   c. comer

2. Mineral en la leche.
   a. huesos
   b. proteínas
   c. calcio

3. Personas adultas.
   a. mayores
   b. niñitos
   c. alimentos

4. Nutrientes que nos dan energía.
   a. pimientos
   b. aceite
   c. carbohidratos

5. Doblar en forma de cilindro.
   a. enrollar
   b. enfriar
   c. batir

B. Rodea con un círculo la mejor palabra para completar cada oración. Luego escríbela en el espacio indicado.

1. ¿Te gusta el ________________?
   (poyo / pollo / poio)

2. Mi alimento favorito es la ________________.
   (tortilla / tortía / ortiya)

3. Mi hermanito casi no ________________.
   (yora / llora / yorra)

4. ¡Mira ese ________________ negro!
   (caballo / cabaio / cabayo)

C. Rodea con un círculo la mejor palabra para completar cada oración. Luego escríbela en el espacio indicado.

1. ________________ su nombre aquí, Sr. Campos.
   a. Escribiste
   b. Escribe
   c. Escriba

2. ¡ ________________ atención, Luisa!
   a. Pon
   b. Pones
   c. Pongas

3. ________________ las verduras antes del postre, Antonio.
   a. Comes
   b. Come
   c. Coma

4. ________________ el autobús en la esquina, profesor.
   a. Tome
   b. Toma
   c. Tomes

D. Marca con una X la palabra que defina la descripción.

1. Nutrientes necesarios para crecer.
   ____ sustancias ____ proteínas ____ cereales

2. Contienen vitaminas.
   ____ energía ____ calcio ____ frutas

3. Un cereal.
   ____ avena ____ fruta ____ vegetal

4. Un tipo de carne.
   ____ hueso ____ pollo ____ carbohidrato

5. Lo que los alimentos contienen.
   ____ nutrientes ____ carnes ____ licuadoras

Unidad 7 Los mayas

A. Rodea con un círculo la definición correcta de cada palabra. Luego escríbela en el espacio indicado.

1. astros: ____________________
   cuerpos celestes
   calendarios
   ruinas

2. florecer: ____________________
   estudiar
   progresar
   seguir caminando

3. aprovechar: ____________________
   ____
   usar para beneficio personal
   investigar
   construir pirámides

4. siglos: ____________________
   arqueólogos
   pueblos
   períodos de cien años

5. antiguos: ____________________
   misteriosos
   del tiempo pasado
   hábiles

6. ilustrador: ____________________
   ____
   diplomático
   arquitecto
   persona que hace dibujos

B. Une la palabra en la columna de la izquierda con su significado en la derecha.

jeroglífico	de veinte en veinte
astrónomo	calendario civil
el haab	de diez en diez
vigesimal	profesión
El Caracol	observatorio maya
decimal	dibujo que representa seres, objetos y conceptos

C. Para cada número, rodea con un círculo la palabra que está bien escrita.

1. exploración / explorasión
2. civilizasión / civilización
3. democrasia / democracia
4. ciglos / siglos
5. floreció / floresió
6. edificios / edifisios
7. ilustrador / iluztrador
8. conversación / conversasión

D. Subraya el complemento directo.

1. Ana compró una televisión.
2. Catherwood publicó un libro.
3. Los arqueólogos estudiaron símbolos mayas.
4. Los mayas tenían dos calendarios.
5. Yo pinté un mural.
6. Los estudiantes ven el documental de Chichén Itzá.
7. Luisa visitó a su abuelo en México.
8. Felipe mostró sus fotos.
9. Siempre ayudo a mi padre.
10. Llamo a mi tía los domingos.

Unidad 8 El reino animal

A. Une con una línea el animal con su clasificación.

tigre	las aves
rana	los reptiles
pájaro	los peces
serpiente	los mamíferos
pez	los anfibios
escorpión	los crustáceos
cangrejo	los moluscos
pulpo	los arácnidos
mariposa	los insectos

B. Rodea con un círculo la palabra que completa la oración. Luego escríbela en el espacio indicado.

1. Cuando el guaraguao llegó a la casa del múcaro, lo encontró

   ______________________.
   lindo
   desnudo
   escondido

2. Los pájaros pidieron al ______________________ que fuera de casa en casa para invitar a todos los pájaros a un baile.
   múcaro
   traje
   guaraguao

3. En el baile, el múcaro se sentía muy lindo en su ______________________ de plumas de distintos colores.
   traje
   casa
   bosque

C. Rodea con un círculo el complemento indirecto en las siguientes oraciones:

1. Marta explicó la lección a Miguel.
2. El maestro dio un libro al estudiante.
3. Yo compré un traje para mi hijo.
4. El guaraguao llevó las plumas al múcaro.
5. Las palomas buscan lombrices para sus pichones.

D. Para cada grupo, marca con una X las tres palabras que pertenecen al mismo grupo.

Aves

1. ____ múcaro
   ____ tecolote
   ____ mariposa
   ____ lechuza

Mamíferos

2. ____ múcaro
   ____ perro
   ____ león
   ____ gato

Crustáceos

3. ____ langosta
   ____ araña
   ____ camarón
   ____ cangrejo

Insectos

4. ____ mariposa
   ____ abeja
   ____ escorpión
   ____ hormiga

Unidad 9 La salud

A. Escribe la letra que corresponde con cada palabra o dibujo de la columna de la derecha.

1. ____ detenernos
2. ____ cabello
3. ____ sanos
4. ____ resfriado
5. ____ médico
6. ____ muralla
7. ____ hormiga
8. ____ fiebre

a. catarro
b.
c. pelo
d. temperatura alta
e. pararnos
f.
g. con buena salud
h. doctor

B. Lee el párrafo a continuación. Luego lee las oraciones, escoge la mejor respuesta y escríbela en la línea.

Voy al médico porque necesito vacunas. Mi mamá me quiere llevar. No quiero ir porque la última vez que fui, me dolió mucho. Pero mamá dice que si no me vacuno, me visitarán los microbios, y ellos producen enfermedades. Por eso, voy a ir.

1. Voy al médico porque ________________________________.
   a. tengo el cuerpo lleno de ronchas rojas
   b. no puedo caminar
   c. necesito vacunas
   d. vamos a enfermarlos

2. Yo no quiero ir al médico porque ______________________.
   a. la última vez me dolió mucho
   b. soy un niño sano
   c. tengo fiebre
   d. estoy vacunado

3. Mamá dice que si no me vacuno ______________________.
   a. seré un niño sano
   b. el médico me hará daño
   c. no podré caminar
   d. me visitarán los microbios

C. Escoge la forma correcta del verbo que complete la oración. Marca el cuadro con una ✓, y luego escribe la respuesta en la línea.

1. No me ______________________ esta comida.
   - ☐ gustas ☐ gustan
   - ☐ gusta ☐ gustar

2. A Miguelito le ______________________ los animales.
   - ☐ gusto ☐ gustan
   - ☐ gusta ☐ gustar

3. No nos ______________________ hacer ejercicio.
   - ☐ gusta ☐ gustar
   - ☐ gustas ☐ gustan

Unidad 10 Las plantas

A. Marca con una X todas las palabras relacionadas con las plantas.

1. ____ tallo
2. ____ ventana
3. ____ rodillas
4. ____ semilla
5. ____ versos
6. ____ cactus
7. ____ luz
8. ____ flores
9. ____ polinizar
10. ____ confeti
11. ____ bulbos
12. ____ linterna
13. ____ apio
14. ____ maní

B. Rodea con un círculo la palabra que completa la oración. Luego escríbela en el espacio indicado.

1. ________________________ muebles y casas con la madera.
   a. Regamos
   b. Construimos
   c. Tomamos
   d. Cultivamos

2. Algunas ________________________, como la manzana, son comestibles.
   a. semillas
   b. flores
   c. hojas
   d. frutas

3. La vida de una planta tiene varias ________________________.
   a. frutas
   b. etapas
   c. semillas
   d. raíces

4. El ______________________ de vida de la planta consiste en cinco pasos.
   a. ciclo
   b. cubo
   c. tallo
   d. corazón

5. Levantaron los cubos de confeti para dejarlos caer a ______________________ sobre Sharon.
   a. rasgos
   b. puñados
   c. vestidos
   d. círculos

C. Pon las siguientes palabras o frases en el orden correcto, numerándolas del *1* al *5*.

____ La planta produce flores

____ La semilla germina

____ La planta crece

____ Las flores son polinizadas

____ La semilla

D. Lee cada oración. Luego marca con una X la palabra incorrecta y escríbela correctamente en el espacio indicado.

1. Lávame las manos antes de comer. ______________________

2. Carlos, duérmanse. ______________________

3. Señorita, abras la ventana. ______________________

4. Carolina, lávense las manos. ______________________

5. Mamá, cómprasme este librito. ______________________

Unidad 11 Cuentos de abuelos

A. En cada grupo de palabras, rodea con un círculo el significado de la palabra y escríbela en el espacio indicado.

1. tocó: ______________
   interpretó música
   miró revistas
   escribió un libro

2. nada: ______________
   escribe cuentos
   practica la natación
   interpreta música

3. cuenta: ______________
   ____
   toca la alarma
   dice historias
   trabaja mucho

4. felices: ______________
   muy contentos
   muchachos
   cansadas

5. anciano: ______________
   nieto
   abuelo
   viejo

6. muchacha: ______________
   anciana
   mujer
   niña

7. pastor: ______________
   ____
   burro para vender
   persona que cuida ovejas
   grupo de mujeres

8. alboroto: ______________
   ruido
   trabajo
   banco

B. Para cada número, marca con un ✓ la frase que tiene la forma verbal correcta.

1. ____ Nosotros siempre piden sándwiches y refrescos.
   ____ Nosotros siempre pedimos sándwiches y refrescos.

2. ____ Si tú no sigues las reglas, yo ya no voy a jugar.
   ____ Si tú no seguimos las reglas, yo ya no voy a jugar.

3. ____ Los meseros sirven la comida.
   ____ Los meseros sirve la comida.

C. Escoge la frase que completa cada oración, por su contexto. Luego escríbela.

quién se subiría al burro	y tu pobre abuelo caminando
un burro y van caminando	nadie lo iba a comprar
los dos a pie	de su abuelo

1. Mira a esos dos que van pasando. Tienen ________________.
2. Parece mentira, muchacha. Tú vas montada en el burro ________________ ________________.
3. Abuelo y nieta platicaron un rato para ver ________________ ________________.
4. La niña se subió y se sentó delante ________________.
5. Si de verdad el burro se cansaba, llegaría al pueblo con muy mal aspecto y ________________.
6. Así que se bajaron del burro y decidieron continuar tal y como habían comenzado su camino: ________________.

D. Escoge la palabra en cada grupo que no está escrita correctamente y rodéala con un círculo.

1. cuidadosa
   miedoza
   famosa
2. sapato
   azul
   pez
3. flores
   artiztas
   animales
4. zorro
   toz
   zapato
5. ansiana
   desaparecer
   oscuro
6. lejos
   detrás
   hermozo

Unidad 12 Héroes para siempre

A. Rodea con un círculo la definición de cada palabra, y luego escríbela en el espacio indicado.

1. esperanza: ______________________
   aprobación
   justicia
   el ideal de un tiempo mejor

2. campesinos: ______________________
   boicots y marchas
   gente que vive en el campo y trabaja la tierra
   nuestras vidas

3. huelga : ______________________
   la esperanza que no se pierde
   la bandera que se usa en las protestas
   actividad que consiste en dejar de trabajar para protestar

4. periodista: ______________________
   adolescente que va a la escuela
   persona que escribe para un periódico
   hijo mayor que lee periódicos

5. década: ______________________
   lucha de cada día
   período de diez años
   cantera antigua

6. deportado: ______________________
   obligado a irse del país donde vive
   forzado a practicar deportes
   escrito de países extranjeros

B. En cada grupo, marca la respuesta correcta.

1. ¿Quién fundó el Partido Revolucionario Cubano?
   - ☐ Leonor Pérez ☐ José Martí ☐ Mariano Martí
2. En la década de 1860, en América, ¿qué países siguen siendo colonias españolas?
   - ☐ México y Guatemala ☐ España y Cuba ☐ Cuba y Puerto Rico
3. Cuando tiene 17 años, ¿adónde lo mandan?
   - ☐ a la guerra ☐ a prisión ☐ a México
4. En 1895, Martí deja Nueva York para regresar ¿a qué país?
   - ☐ Cuba ☐ Guatemala ☐ México
5. ¿Cuántos niños habían en la familia de José?
   - ☐ seis ☐ siete ☐ ocho
6. Martí peleaba por la libertad, usando la pluma en lugar de ¿qué cosa?
   - ☐ la espada ☐ el trabajo forzado ☐ la pasión

C. Une la palabra en la columna de la izquierda con la de la derecha, según su relación.

la esperanza	banderas
pedir...	justicia
nuestras vidas	unirse
tú eres	nunca muere
hay que	la esperanza
levantan	cambiarán

Unidad 13 Impresiones de la naturaleza

A. En cada grupo de palabras, marca con un ✓ el sinónimo de la palabra.

1. ser

   ____ raíz

   ____ persona

   ____ luz

2. principio

   ____ manantial

   ____ órbita

   ____ comienzo

3. equilibrio

   ____ estabilidad

   ____ reservas

   ____ recursos

4. abrigo

   ____ ecosistema

   ____ protección

   ____ ecología

5. diversidad

   ____ parques

   ____ llanuras

   ____ variedad

B. Rodea con un círculo la mejor respuesta para completar cada oración. Luego escríbela en el espacio indicado.

1. En ______________________ hay picos cubiertos de nieve.
   (Panamá / Chile)

2. Las selvas tropicales están en ______________________.
   (Chile / Panamá)

3. En ______________________ hay pocas plantas.
   (el desierto / la selva)

4. Las llanuras están en ______________________.
   (Venezuela / Panamá)

5. En la selva hay una gran variedad de ______________________.
   (climas / plantas)

C. Rodea con un círculo la mejor palabra que complete cada oración. Luego escríbela en el espacio indicado.

1. Lourdes ____________________ muy bien a los gatos. (conocemos / conoce / conocen)

2. Nosotros ____________________ el desierto de Arizona. (conocen / conozco / conocemos)

3. Yo ____________________ bien las regiones naturales. (conozco / conocen / conocemos)

4. Los estudiantes ____________________ la importancia de las leyes ecológicas. (conoce / conocen / conozco)

D. Escribe un ✓ en la línea junto a cada palabra que está escrita correctamente.

1. ___ pinguino
2. ___ manana
3. ___ España
4. ___ pina
5. ___ sueño
6. ___ cigueña
7. ___ nicaraguense
8. ___ agüita

E. Rodea con un círculo la mejor palabra para completar cada oración. Luego escríbela en el espacio indicado.

1. Yo ____________________ que hay montañas en Chile. (sabemos / sé / sabe)

2. ¿Cómo ____________________ llaman tus amigas? (se / sé / saben)

3. ¿Qué ____________________ acerca de Venezuela? (sabemos / sé / sabes)

4. El profesor Contreras ____________________ mucho sobre las selvas de Panamá. (se / sabe / sabes)

Unidad 14 Juegos y cuentos tradicionales

A. Marca con un ✓ las oraciones que son verdaderas.

- ☐ Con el tangram chino puedes hacer figuras que se reconocen por su contorno.
- ☐ El tangram es un rompecabezas.
- ☐ El rompecabezas tiene nueve o diez piezas.
- ☐ El verdadero reto está en hacer figuras de personas, animales y objetos.
- ☐ No se necesita cambiar la posición de las piezas.

B. Marca con una X la mejor opción.

1. En un lejano país vivía...

   ____ una princesa que rechazaba a todos sus pretendientes.

   ____ nobles que rechazaban a todos sus pretendientes.

   ____ un joven encantado.

2. La princesa recibió la visita de un nuevo pretendiente...

   ____ con un bastón.

   ____ junto al estanque del palacio.

   ____ de un reino cercano.

3. El príncipe golpeó la superficie del estanque...

   ____ dentro de seis meses.

   ____ con un bastón.

   ____ una tarde de verano.

C. Marca con una X el significado de la palabra y luego escríbela en el espacio indicado.

1. extremo: ____________________
   ___ punta
   ___ figura
   ___ pieza

2. rechazaba: ____________________
   ___ exclamaba
   ___ disminuía
   ___ no quería

3. contorno: ____________________
   ___ borde de un dibujo
   ___ compañero
   ___ rompecabezas

4. afligido: ____________________
   ___ sorprendido
   ___ muy triste
   ___ firme

5. basta: ____________________
   ___ extremo
   ___ muestra
   ___ suficiente

6. capaz: ____________________
   ___ puedes
   ___ encantada
   ___ inesperada

D. Escribe en la línea el sufijo en cada una de las palabras:

1. montañoso ____________
2. nacimiento ____________
3. famosa ____________
4. grandísimo ____________
5. hombrón ____________
6. grandote ____________
7. perezosa ____________
8. sentimiento ____________
9. perrito ____________
10. poderosa ____________
11. pedazote ____________
12. carrito ____________

Unidad 15 Arte y estilo

A. Marca con una X el antónimo de la palabra.

1. cerca

____ lejos

____ abajo

____ debajo

2. encima

____ fuera

____ debajo

____ cerca

3. detrás

____ temprano

____ enfrente

____ lindo

4. abajo

____ fuera

____ enfrente

____ arriba

5. dentro

____ fuera

____ temprano

____ arriba

6. temprano

____ lejos

____ tarde

____ lindo

B. Marca con una X el sinónimo de la palabra.

2. cuadro

____ llanura

____ seco

____ pintura

2. seco

____ árido

____ húmedo

____ antiguo

3. lindo

____ antiguo

____ bonito

____ tarde

4. rojo

____ colorado

____ lindo

____ verde

C. Debajo de cada palabra hay un sinónimo o un antónimo. Marca con una *S* si la opción correcta es un sinónimo, y con una *A* si la opción correcta es antónimo.

1. cuadro
   ____ pintura
   ____ escritura
   ____ cuadrado

2. asombro
   ____ sombra
   ____ sorpresa
   ____ cariño

3. sombra
   ____ luz
   ____ bombillo
   ____ aire libre

4. posar
   ____ pareja
   ____ puente
   ____ postura

5. antiguo
   ____ mayor
   ____ hombre
   ____ viejo

6. verano
   ____ frío
   ____ invierno
   ____ chaqueta

D. ¿Cuál es la forma correcta del participio irregular? Marca con una X la respuesta correcta.

1. escribir
   ____ escrito
   ____ escribido

2. volver
   ____ volvido
   ____ vuelto

3. morir
   ____ morido
   ____ muerto

4. hacer
   ____ hacido
   ____ hecho

5. abrir
   ____ abierto
   ____ abrido

6. ver
   ____ vido
   ____ visto

E. Lee cada oración. Rodea con un círculo la oración que está escrita correctamente, y marca con una X la que no lo está.

1. Yo hemos terminado mi tarea.
2. ¿Qué ha escrito la mamá de María?
3. Samuel y Tomás han abierto la puerta.
4. Juan Manuel has ido a Venezuela.